국내외 백신산업분석보고서

Contents

01 서론

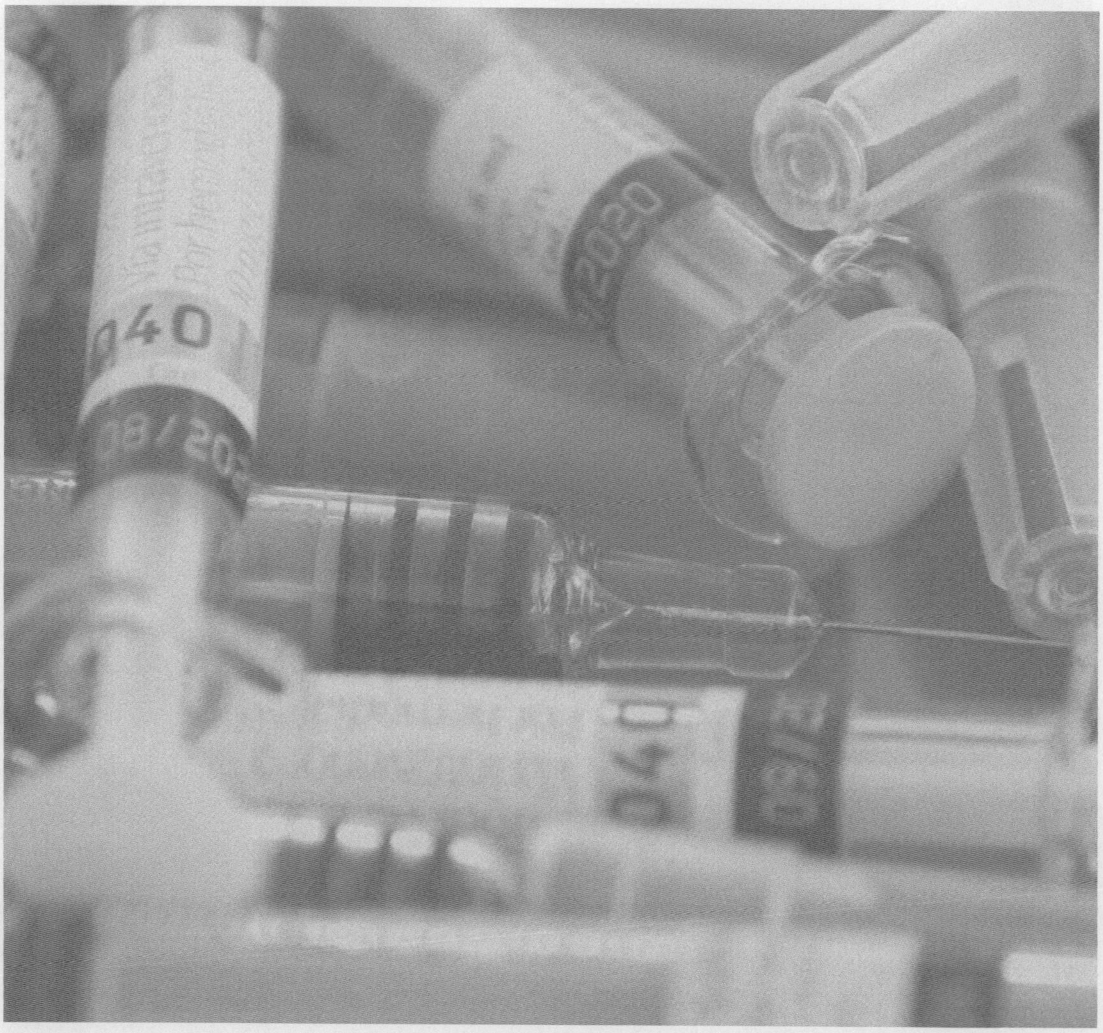

1. 서론

백신은 세균과 바이러스에 의해 발생하는 감염성 질병을 예방하기 위해서 병원체 또는 생산하는 독소를 화학적 방법으로 처리 하고, 체내에 주입하여 항체를 유도할 수 있는 생물학적 제품을 의미한다. 백신은 예방 가능한 질병의 99%까지 발병률을 줄일 수 있는 제품으로 비용대비 효과가 가장 큰 의약품이다. 최근 건강하고 오래 살고자 하는 웰빙 문화가 확산됨에 따라 날로 그 중요성이 증가하고 있는 제약부문이다.

현재까지는 감염성질환에 대한 예방백신이 주된 분야였으나 최근 바이오 기술에 대한 신기술개발로 백신은 질병진행을 근절, 억제, 감소시키는 치료용 백신으로 확대되고 있다. 이는 특허권을 수반하는 고부가가치 제품으로서 잠재력을 가지고 있는 분야로 인식되고 있다. 따라서 제약회사 및 바이오회사들은 향후 급부상할 백신에 대해 막대한 투자를 아끼지 않으며 무려 400여종의 백신이 이미 이용되거나 개발 중에 있다.

백신 시장은 일반적인 경제동향에 큰 영향을 받지 않는 특성을 가지고 있다. 바이오 의약품 내 다른 부문에 비해 상대적으로 단단한 구조를 지녀 전염병이 근절되지 않는 한 수요는 창출될 것이다. 나아가 여러 백신이 혼합된 다가백신, 프리미엄 백신 시장 등이 앞으로의 백신 시장을 주도할 것이다.

본 보고서에는 백신의 정의와 효과 및 분류 등 기본적인 백신에 대한 내용을 살펴볼 것이다. 그 다음 백신의 시장현황과 산업현황 및 제약기업 현황을 국내·외 별로 분석하고자 한다. 마지막으로 백신 기술과 적용사례를 분석하면서 국내외 기술동향을 알아볼 것이다.

02

백신이란?

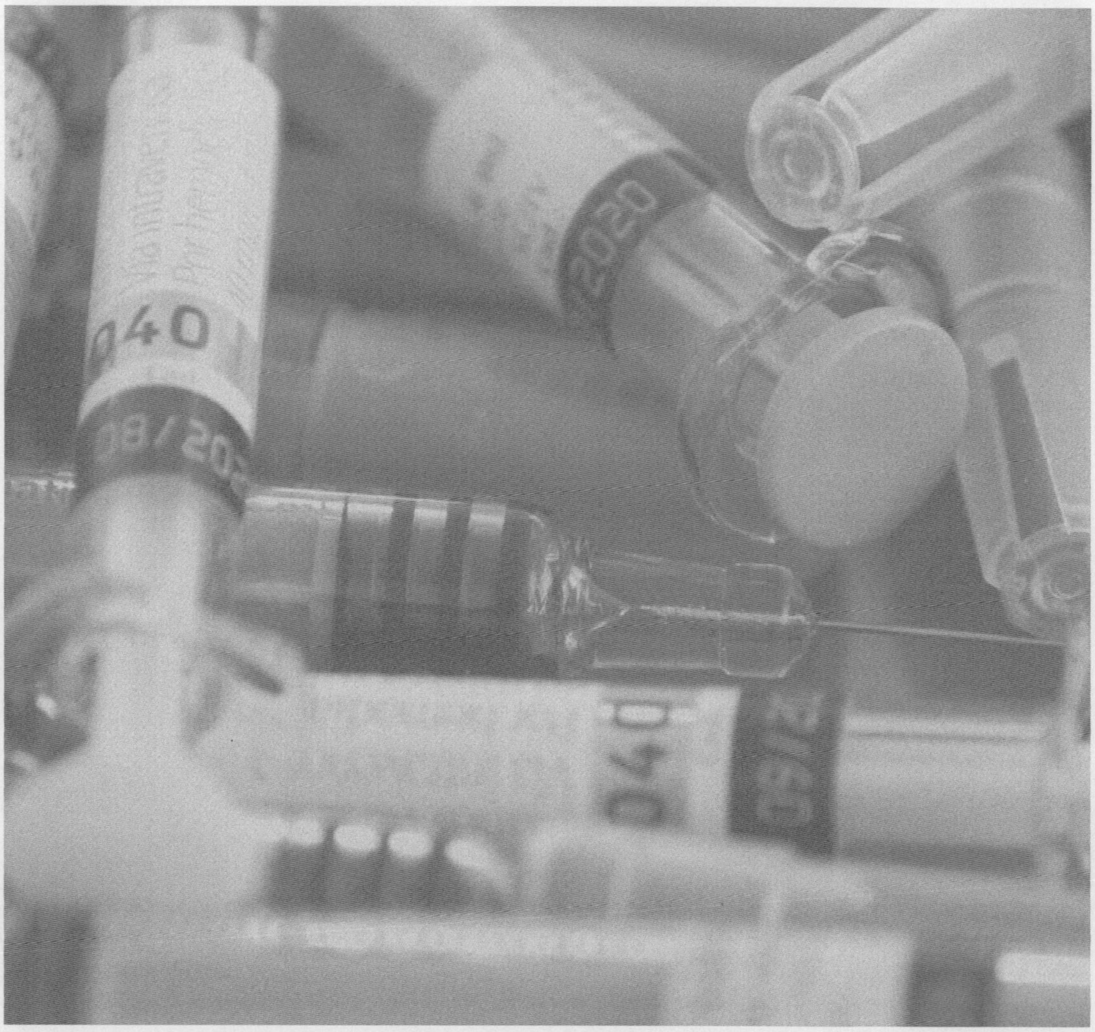

2. 백신이란?

가. 백신의 정의

백신이란 소(cow)라는 의미를 가지는 라틴어 vaca에서 유래되었으며, 특정 전염병 감염을 예방할 수 있는 약물을 의미한다. 백신에는 인체 내에서 특정 질병을 유발할 수 있는 바이러스, 독소, 세균 등이 약화(약독화)되거나 병원성을 제거한(불활화) 상태로 소량 함유되어 있다. 따라서 백신이 접종되면, 인체 내 면역세포들이 백신에 포함된 바이러스, 독소, 세균 등을 비자기물질(항원)으로 인식하여 면역 반응이 시작된다. 백신에 함유된 소량의 병원체들은 매우 양이 적고 병원성도 매우 낮기 때문에 우리 몸에 해가 되지 않는다.[1)]

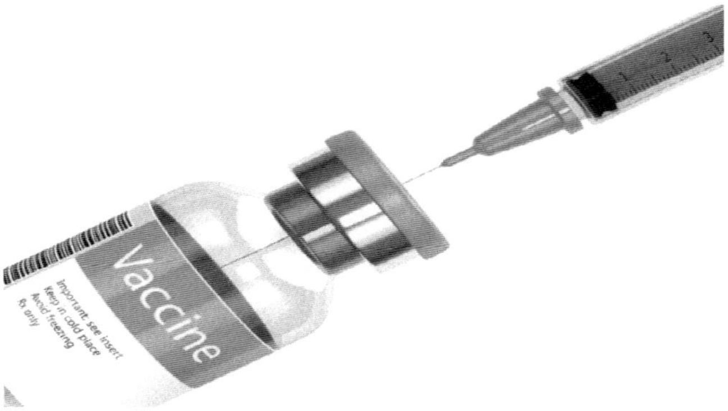

그림 1 백신

나. 백신의 효과

백신은 특정 질병에 대해 우리 몸의 면역체계를 강화시켜 질병을 예방한다.

백신을 접종하게 되면 체액성 면역과 세포성 면역을 유발할 수 있다. 체액성 면역이란 백신 접종 이후에 만들어진 항체가 다음에 감염된 병원체와 결합하여 무력화 시키는 것을 의미한다. 또한 면역 기억을 가지고 있어 병원체가 다시 침입하면 형질세포, 기억세포에서 더욱 빠르고, 많이 항체를 만들고 분비시킨다. 세포성 면역이란 T림프구의 작용으로 싸이토카인을 통해 식세포작용, 염증유발을 유도한다. 세포성 면역 또한 면역 기억을 가지고 있어 병원체가 다시 침입하면 기억세포를 통해 더욱 빠르게 해당 병원체를 사멸시킬 수 있다.

---

1) 약학정보원-약학용어사전 참조

다. 백신의 분류

1) 약독화생백신

세균이나 바이러스를 조직배양, 계란, 세균배지에 배양해서 독성을 나타내는 부분을 변형시킨 백신을 의미한다. 이는 인체에서 독성은 나타내지 않지만 면역반응은 유도할 수 있다. 약독화 생백신의 분류는 바이러스 백신, 세균 백신으로 나눠고 대부분 바이러스 백신이 많다.

특징은 체내에서 증식할 수 있지만 병원성이 있는 원래 형태로 바뀔 수 있다. 따라서 허가 시 배양횟수를 제한하여 관리하고 있다. 그러나 약독화 생백신이 병원성이 있는 원래 형태로 바뀌어 질병을 유발하더라도 그 병원체가 유도하는 질병보다 훨씬 약하게 일어난다. 또한 외부 환경(열, 빛, 온도)에 의해 손상될 수 있기 때문에 사용할 때 주의해야 하며 보관시에도 적절한 장소를 택해 보관되어야 한다. 생산단가가 적어 가격이 저렴한 특징이 있다.

면역효과는 경구투여를 제외하고 보통 1회 투여에도 백신의 성능이 지속 될 수 있다. 또한 체액성면역, 세포성 면역, 국소성 면역 모두 얻어질 수 있다.

부작용은 보통 4~14일 정도 기간이 지난 후에 백신 자체에 의해 일어난다. 또한 약독화 생백신은 면역력이 급격히 저하된 사람에게 한해 병원체의 무분별한 증식으로 생명을 위협하는 증상이 일어날 수 있다. 그러나 미리 예측하는 것은 현재 기술로는 거의 불가능하다.[2)3)]

제조 과정은 바이러스를 따로 분리하여 시험관에서 키우거나 동물의 유정란에서 배양하는 방법이 있다. 보통 닭의 유정란을 사용하여 바이러스의 복제를 유도한다.

바이러스 백신(Viral)[4)5)]에는 홍역 바이러스, 볼거리(유행성이하선염), 풍진 바이러스, MMR(홍역, 볼거리, 풍진 혼합 백신), 로타 바이러스, 일본뇌염 생바이러스, 수두, 황열, 비강용인플루엔자가 있다. 세균 백신 종류로는 결핵(BCG), 경구용 장티푸스(Ty21a)가 있다.

2) 불활성화백신

불활성화 백신은 배양 배지에서 세균이나 바이러스를 성장시켜 열 또는 포르말린 같은 화학약품으로 불활성화 시켜서 만든다. 불활성화 백신의 특징은 살아있지 않기 때문에 증식하지 않는 것이다. 또한 세균 유전자 돌연변이에 의한 질병유발이 불가능해 안전하다. 보통 면역이 결핍된 사람들은 면역력이 취약해 쉽게 질병에 걸리지만 불활성화 백신은 면역이 결핍된 사람에서도 질병을 일으키지 않는다.

약독화 생백신보다 면역반응이 약해 여러 번 투여해야 한다. 첫 번째 투여는 면역체계를 준비시키는 역할을 한다. 이때 보호적인 면역은 일으키지 않는다. 이후 두, 세 번째 투여 이후에 보호적인 면역이 발달된다.

생백신은 면역작용이 자연적인 감염과 비슷하지만, 불활성화 백신은 면역작용이 보통 체액성 면역이다. 또한 생백신보다 항원에 따른 체내 항체 양의 시간에 따른 감소 폭이 매우 크다. 그렇기 때문에 체내 항체 양을 유지하기 위해 주기적인 추가 투여가 필요하다.

---

2) 백신 안전사용을 위한 핸드북, 식품의약품안전청
3) 백신제제의 특징, 용법 및 주의사항, 병원약사회지(2012)-제 29권 제 4호
4) 서울대학교병원 의학정보
5) 국가건강정보포털 의학정보, 국가건강정보포털

대표적인 예로는 주사용 폴리오, A형간염, B형간염, 신증후군 출혈열, 백일해, 장티푸스, 콜레라 등이 있다.

분류	약독화 생백신	불활성화 백신
백신의 종류	- 바이러스 : 홍역, 볼거리, 풍진, MMR, 수두, 황열, 비강용 인플루엔자 - 세균 : BCG - 약독화 생균백신 : 경구용장티푸스	- 바이러스 : 주사용폴리오, 주사용인플루엔자, 일본뇌염, 광견병, A형간염, B형간염, 유행성출혈열 - 세균 : 백일해, 장티푸스, 콜레라, 폐알균 - 톡소이드 : 디프테리아, 파상풍 - 세포분획백신
특성	- 체내에서 증식가능 - 병원성이 있는 원래 형태로 바뀔 수 있다	- 체내에서 증식할 수 없다 - Noninfectious - 인체내 항체의 영향을 받지 않는다
면역효과	- 장기간 지속 - 광범위, 단일접종으로 해당되는 질환을 근절시킬 수 있다 - 혈중 항체 외에도 세포면역, 국소면역도 얻어진다	- 단기간 지속 - 처음 접종시 2~3회 접종 후 추가접종이 필요 - 혈중항체만 얻어진다 - 생성되는 항체가 질병방어와 무관한 것일 수 있다
부작용	- 백신 바이러스 자체에 의하여 일어나는 증상 - 4~14일 정도의 잠복기가 지난 후에 나타난다 - 면역 생산이상이 있는 사람에서는 위독한 증상이 일어나기 쉬우나, 미리 예측하기는 거의 불가능함	- 이물, allergen으로 작용, 발열, 쇼크 등이 일어날 수 있다 - 접종직후 24시간 내에 일어난다 - 쇼크 등이 발생하기 쉬운 사람을 미리 예측하기는 거의 불가능

그림 3 약독화 생백신과 불활성화 백신의 차이[6)]

6) 병원약사회지(2012), 제 29 권 제 4 호, 백신제제의 특징, 용법 및 주의사항

3) 톡소이드백신

어떤 박테리아의 경우 박테리아 자체로 질병을 유발하지는 않고, 질병을 유발하는 특정한 항원이 존재한다. 만약 질병이 특정한 독소에 의해 유발될 경우, 이 독소를 가지고 백신을 만든 것이 톡소이드 백신이다. 변성 독소(톡소이드, Toxoid)란 열처리나 화학물질 등으로 독소를 비활성화 시켜 병을 유발하지 못하게 만든 것이다. 대표적인 종류로 디프테리아와 파상풍 백신이 있다.

4) 아단위백신

항원을 모아 재조합하여 만들어 재조합 구성단위백신이라고 부르기도 한다. 병원체를 구성하는 성분 중에 면역반응을 일으킬 수 있는 항원 성분만을 추출하여 재조합한 백신을 의미한다. 구성 성분은 병원균의 단백질 조각과 펩타이드이다. 특징은 병원성과 관련 있는 특이 항원부위만 면역형성을 유도하므로 부작용을 최소화할 수 있다. 또한 면역형성을 방해할 수 있는 모체이행항체의 간섭현상도 최대한 줄일 수 있다. 일관된 품질을 보장 할 수 있으며 대량생산에 용이하다. 그러나 가격이 비싸고 면역반응을 유도하는데 시간이 걸린다. 또한 생백신보다 효율이 떨어진다.

대표적인 예로는 폐렴구균 백신, b형 헤모필루스 인플루엔자 백신, A형 간염 백신, B형 간염 백신, 수막구균 백신, 인플루엔자 백신이 있다.

5) 결합백신

인체의 면역반응은 병원체가 단백질 조각을 인식해서 활성화된다. 따라서 단백질 조각이 아니라면 면역반응이 잘 일어나지 않는다. 표면이 다당류(Polysaccharides)로 덮여있는 박테리아의 감염을 예방하기 위해서 단백질에 다당을 결합시켜 백신을 만든다. 단백질과의 결합을 통해 더욱 효과적인 백신일 될 수 있기 때문이다. 예로는 뇌수막염, 패혈증 결합 백신이 있다.

6) DNA백신

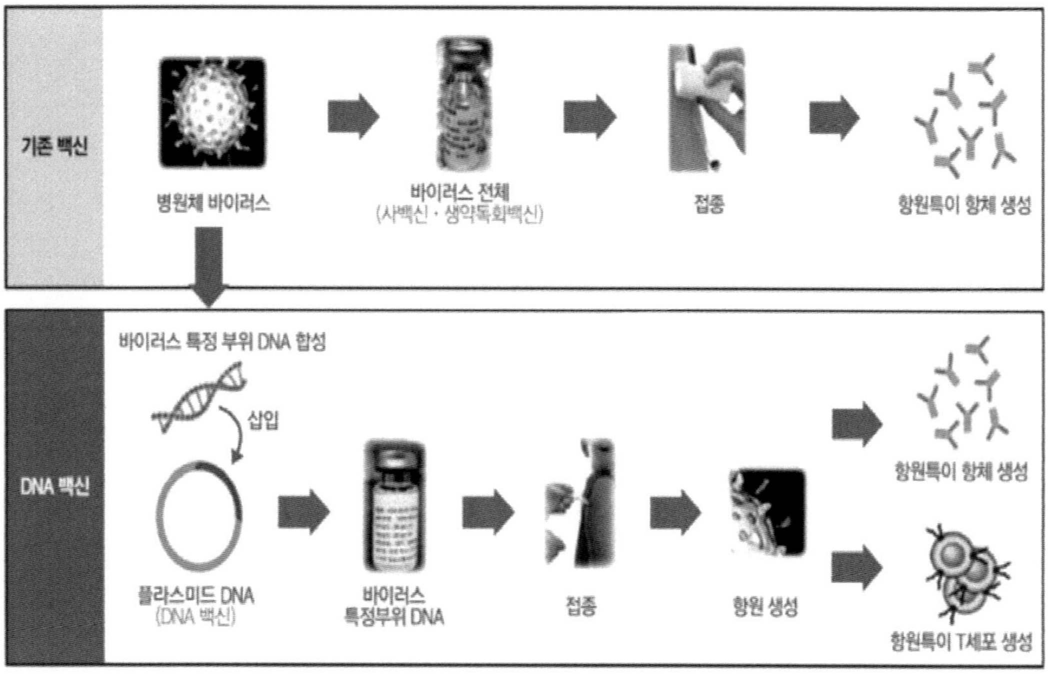

그림 4 기존 백신과 DNA 백신 차이 모식도

항목	기존 백신	DNA 백신
안전성	감염성 병원체 약독화 또는 사멸상태	감염성 병원체의 항원 유전자 이용
	고감염성/병원성 질환에서 안전성 문제점 항상 존재	인간 면역결핍바이러스, 판데믹 인플루엔자, 말라리아 등 고감염성 질환에 대한 병원성 우려없이 안전한 백신 개발
면역반응기전 /백신종류	주로 항체 형성에 의한 면역반응 유도, 예방용 백신	항체형성 및 T세포에 의한 면역반응 유도로 예방과 치료효과
생산/보관	반드시 냉장보관	상온 장기보관
	장기간(6개월) 제조기간 필요	단기간(1개월) 제조
대상 적응증	주로 감염성질환에 대한 예방	감염성질환 및 암/자가면역 질환을 대상으로 예방 및 치료

그림 5 그림 5 기존 백신과 DNA 백신 차이 7)

DNA 백신은 플라스미드 DNA에 면역반응을 유도하는 항원의 유전자를 삽입한 백신이다. 이는 숙주에서 전사와 번역 과정을 거쳐 단백질이 발현된다. 이 단백질이 항원이 되어 세포성 및 체액성 면역반응을 동시에 유도한다.

특징은 병원균의 유전자 중 일부분만 삽입되어 있기 때문에 유전자 돌연변이로 인한 감염을 걱정할 필요가 없다. 여러 가지의 항원을 삽입할 수 있기 때문에 항원 디자인 및 제작이 쉽다. 또한 대장균을 숙주로 이용하여 쉽게 대량 생산이 가능하고 가격이 저렴하다. 플라스미드

7) 새로운 치료제: DNA 치료백신(VGX-6150), 부산대학교 의과대학 내과학교실

DNA가 매우 안정한 물질이기 때문에 장기간 보관이 가능하다. 하지만 세포 내로 DNA 백신이 직접 전달돼야 하므로 전기천공법 등의 전달방법이 필요하다.

최근에는 2세대 DNA 백신은 전기청공법 또는 면역증강제 추가 및 항원 유전자 발현 최적화 전략이 포함되며, 임상개발이 진행중이다.

항 목	개 선 점
항원 유전자	• 유전자 최적화(공통 염기서열화, 코돈 최적화 등) • 강력한 프로모터 개발 • 항원의 고발현 유도인자 삽입
면역원성 증진	전기천공 전달 및 면역증강제 (Adjuvant) 도입
체내 전달법 개선	• 물리적 방법 - electroporation (100배 이의 세포 내 전달율 증가), gene gun • 화학적 방법 - 고분자, 리포솜

그림 6 2세대 DNA백신의 개선점[8)]

종류로는 c형간염바이러스 백신이 있다.

7) 재조합 벡터 백신

항원의 유전자를 바이러스나 박테리아를 벡터로 이용해서 재조합시킨 백신을 의미한다. 이 백신이 체내로 전달되면 바이러스가 증식하게 되고 곧바로 면역세포를 자극해 면역반응을 활성화 시킨다. 특징은 약독화 생백신과 비슷한 수준의 면역반응 효과가 있다. 보통 우두바이러스, 아데노바이러스, 헤르페스바이러스 등이 벡터로 사용되고 있다. 현재 에이즈, 암 등 난치병을 치료하기 위해 바이러스 기반의 재조합 벡터 백신을 만들고 있다.

라. 백신의 제조방법[9)]

1) 유정란 배양

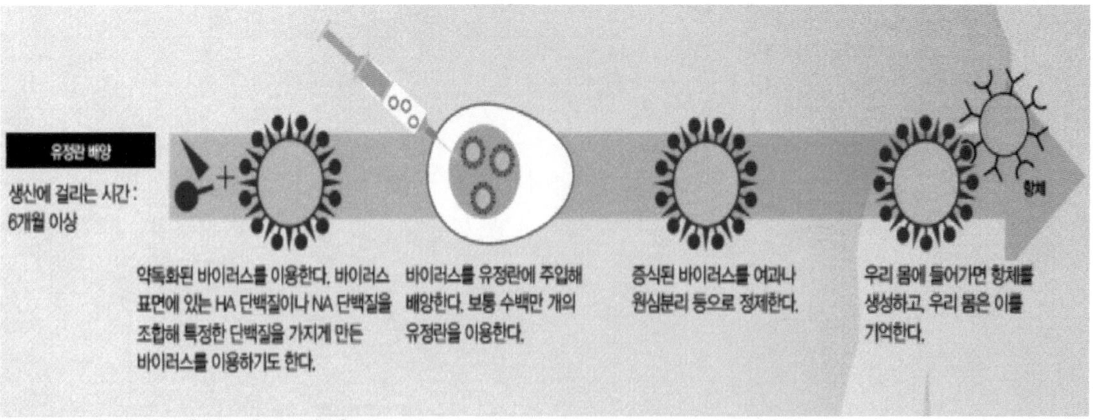

그림 7 유정란 배양 제조 방법

8) 새로운 치료제: DNA 치료백신(VGX-6150), 부산대학교 의과대학 내과학교실
9) https://blog.naver.com/etoos-edu/221080211056, 최영 선생님의 '인체, 백신을 기억하다'

가장 많이 사용되는 방법이다.
생산 소요시간은 6개월 이상으로 시간이 매우 오래걸린다. 제조방법은 보통 유정란에 약독화된 바이러스를 주입하여 배양한다. 이후 증식된 바이러스를 정제한다.
단점으로는 세균과 바이러스 등의 오염을 방지하기 위해 항생제를 투여하는 것이다. 또한 백신 생산 뒤 유정란의 폐기물 처리도 문제가 되고 있다. 특히 계란 알레르기가 있는 사람은 접종할 수 없다. 접종시에는 두드러기, 혈관 부종이 나타날 수 있으며 심하면 아나필락시스를 유도할 수 있다.
감염병 전문가이 유정란 배양 독감백신의 경우 독감바이러스 H3N2 변이가 일어날 수 있다며 더욱 안전한 세포배양 백신이 주목받고 있다.

2) 세포 배양

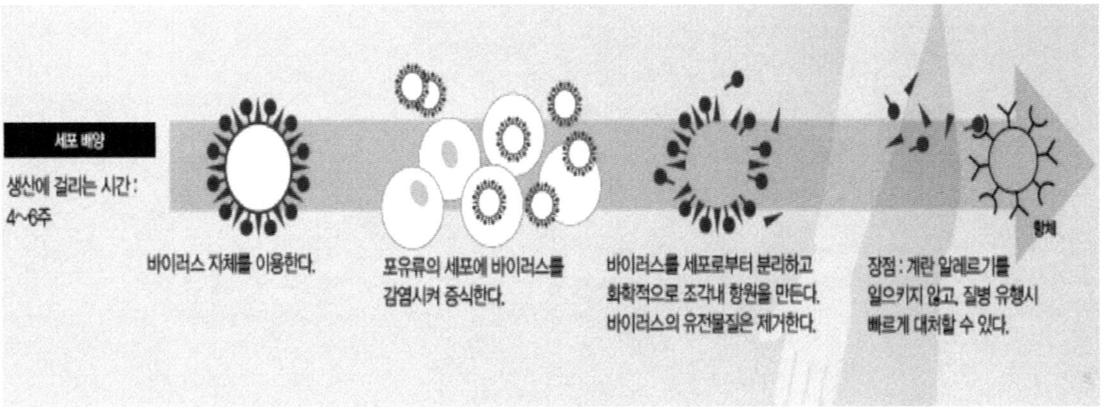

그림 8 세포 배양 제조 방법

생산 소요시간은 보통 4~6주가 걸린다. 유정란을 대신하여 포유류의 세포에 바이러스를 감염시켜 증식시킨다. 이후 바이러스를 정제하여 조각내 항원을 만들고 바이러스의 유전물질을 제거한다. 보통 동물세포로 원숭이, 개의 신장세포가 사용되고 있으며 일본뇌염 백신, 소아마비 백신, 로타바이러스 백신 등이 세포배양법을 이용한다. 다양한 규모로 비교적 단시간에 생산이 가능하며 불순물로 인한 위험이 적다. 또한 계란 알레르기를 일으키지 않아 계란 알레르기가 있는 환자에게 투여할 수 있다. 그러나 비용이 많이 든다.

3) 유전자 재조합 항원 생산

생산소요기간은 보통 6주 이하이다. 생산방법은 바이러스 벡터에 면역반응을 일으킬 항원 유전자를 삽입한다. 이 벡터를 숙주에 감염시키고 숙주의 전사 번역과정을 이용하여 항원을 정제한다. 이는 살아있는 바이러스가 필요하지 않고 고순도의 재조합 항원 및 단백질을 빠르게 생산할 수 있다. 또한 세포배양법과 마찬가지로 질병이 유행할 때 빠른 공급을 할 수 있다. 현재 자궁경부암과 메르스 백신이 유전자 재조합 항원 생산 방법으로 개발중이다.

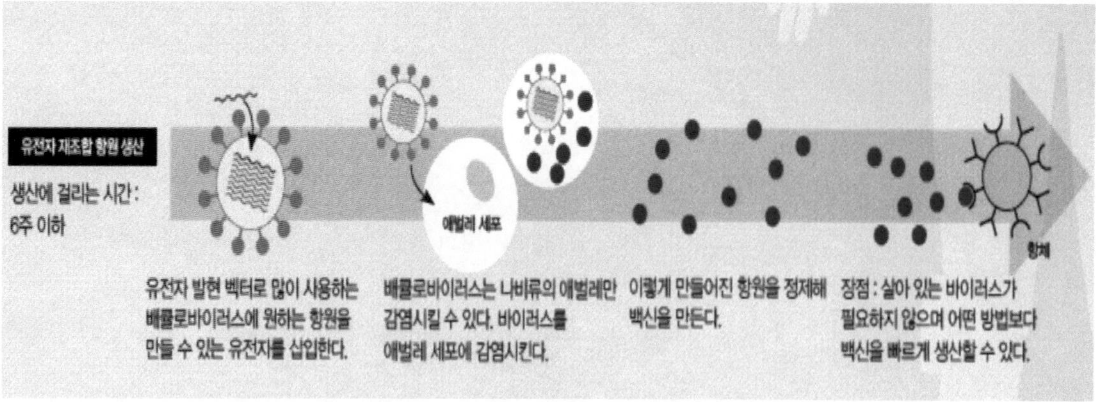

그림 9 유전자 재조합 항원 제조 방법

마. 백신의 첨가물

1) 면역증강제

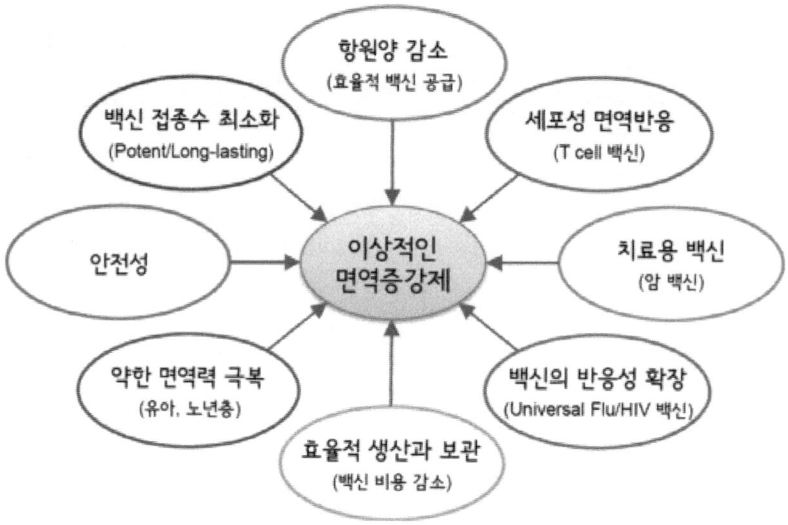

그림 10 면역증강제의 조건[10)]

면역증강제란 백신을 접종하였을 때 항원에 대한 면역반응을 오랫동안 유지하기 위해 첨가하는 물질을 의미한다. 따라서 면역증강제 용량 당 필요한 면역원의 수 및 면역반응을 나타내기 위한 백신의 총 투여횟수를 감소시킨다. 현재 사람백신에 사용되고 있는 면역증강제는 총 4종이 있다. 그 중 많이 이용되고 있는 면역증강제는 alum이고 지난 90년 동안 사용되어 안정성이 입증되었다. alum은 단백질에 흡착하여 단백질 성분의 항원을 안정화시키고 항원을 천천히 방출시키는 역할을 한다. 보통 수산화 알루미늄과 인산 알루미늄을 사용하지만 최근 자궁경부암백신인 가다실은 aluminum hydroxyphosphate sulfate를 사용하였다. MF59은 수쿠

10) 백신 면역증강제(vaccine adjuvant)의 개발 동향, BRIC View 동향리포트, 김의호

알렌(squalene)을 기반으로 해서 oil in water emulsion(O/W emulsion)이다. 우리나라에서 신종인플루엔자가 유행했을 때 팬데믹 인플루엔자백신을 만들 때 도입된 경험이 있다. 특징은 항체면역반응은 우수하지만 세포성 면역반응의 활성은 낮은편이다. AS03은 emulsion형태로 2009년에 유럽에서 대유행 독감백신의 면역증강제로 도입되었다. AS04는 TLR4 agonist인 monophosphoryl lipid A(MPL)와 alum이 첨가된 복합 면역증강제이다. B형 간염 백신과 인유두종 바이러스 백신으로 허가를 받았다. 최근에는 새로운 면역증강제로 PRR agonists과 복합 면역증강제가 개발중에 있다. PRR agonists은 어떻게 인체의 내재면역이 일으키는 염증반응과 후천면역반응 조절에 중점을 두고 있다. 복합 면역증강제란 여러종류의 PRR을 자극하도록 디자인해서 원하는 면역반응을 선택적으로 강화하는 것이다. 보통 일반 면역증가제인 alum, emulsion, liposome에 PRR agonist를 추가해서 면역반응을 유도한다.
면역증강제의 이상반응은 드물게 피하결절, 육아종 염증, 접촉성 과민반응이 나타날 수 있다. 또한 짧은 바늘을 사용할 경우 위험도가 증가하기 때문에 피하주사로 접종 시 침착이 일어날 수 있다.

Adjuvant	Company	Class	Target disease
Alum	Various	Mineral salts	Various
MF59	Novartis	O/W emulsion	Influenza (Fluad)/Pandemic flu
AS03	GSK	O/W emulsion + a tocopherol	Pandemic flu (pandemrix)
AS04	GSK	MPL + alum	HBV (Fendrix), HPV (Cervarix)

그림 11 사람백신에 사용되는 면역증강제
11)

2) 보존제

보존제는 화학물질으로 백신의 세균이나 진균감염으로 인한 2차 감염을 예방하기 위해 첨가하는 물질이다. 보통 치메로살이라는 에칠수은 유도체를 사용하는데 1940년대부터 백신의 보존제로 이용하고 있다. 그러나 치메로살 성분 중 수은에 의해 인체 피해 주장이 나와 문제가 되고 있다. 그러나 그에 반하는 연구들도 발표되고 있어 계속 보존제로 사용되어도 되는지 의문이다. 이러한 국제정인 정세를 고려하여 최근에는 치메로살 감량 또는 미함유된 백신들을 제조하고 있다.

3) 첨가제

첨가제의 종류로 항생제, 단백질, 글리세롤, 혈청, 아미노산, 효소, 포름알데히드, 칼륨염 및 나트륨염, 락토오즈, 폴리솔베이트 20 및 80, 사람혈청알부민, 젤라틴, 소혈청알부민 등이 있다. 항생제는 바이러스 및 세포를 배양할 때 오염을 막기 위해서 사용된다. 단백질, 글리세롤, 혈청, 아미노산 ,효소는 바이러스의 증식을 위해 사용된다. 포름알데히드는 바이러스와 단백질

11) 백신기반기술로서의 면역증강제, 이나경

독소를 불활화 시키기 위해 사용된다. 칼륨염 및 나트륨염, 락토오즈, 폴리솔베이트 20 및 80, 사람혈청알부민, 젤라틴, 소혈청알부민은 백신 제조공정 과정에서 면역원을 안정시키고 유리용기 표면에 부착으로 인한 면역원성 저하방지를 위해 사용된다.

바. 백신의 접종방법

주사의 종류로 근육주사, 피하주사, 피내주사가 있다. 주사로 투여할 경우 국소 신경, 혈과 및 조직이 손상 받지 않도록 주의해야 한다. 근육주사의 경우 접종량과 접종부위의 근육량을 고려해서 영아의 경우는 대퇴부 전외측, 18개월 이상은 삼각근에 접종한다. 엉덩이주사는 둔부에 지방이 많고, 좌골신경에 손상을 줄 수 있어 지양하고 있다. 피하주사도 근육주사와 같이 대퇴부 전외측이나 삼각근에 접종한다. 단, 두가지 이상의 백신을 근육과 피하에 주사 시 한 주사기에 섞어서 한번에 주사하면 안되며, 접종부위도 달라야 한다. 피내주사는 상박외측이나 전완의 전면에 접종한다.

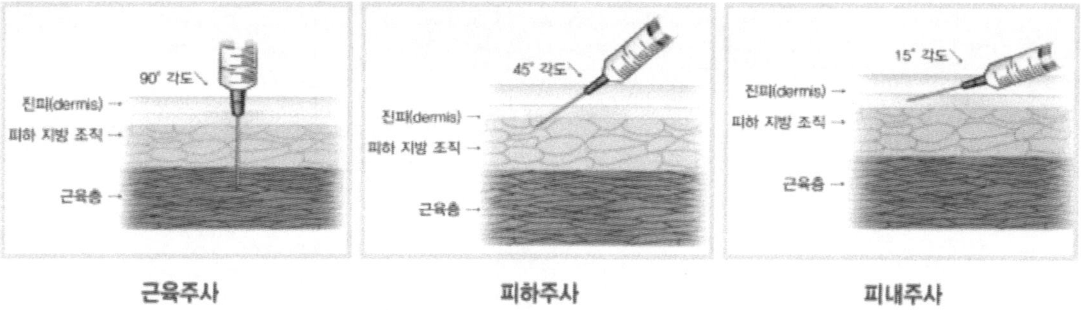

그림 13 백신의 접종방법

경구 투여나 비강 투여로 백신을 투여할 수 있다. 주로 국소 면역을 유도하며 면역반응의 유도가 좋지 않아 실용화된 경구백신은 소아마비 백신 정도에 그치고 있다. 그러나 편리하게 이용할 수 있다는 큰 장점이 있다. 또한 비강분무나 경구투여를 통해 점막면역계를 자극하여 항원에 대한 항체를 생산할 수 있다. 이때 혈중 항체와는 다른 sIgA가 점막으로 분비되면서 전신면역계로 전달되어 국소면역 뿐만 아니라 전신면역도 자극을 받게 된다. 이런 점막면영ㄱ백신들은 면역관용을 피해야하며 백신이 위장관의 소화효소와 위산 등으로 파괴되지 않아야 하며 점막에 정착해야 한다는 점이 중요하다.

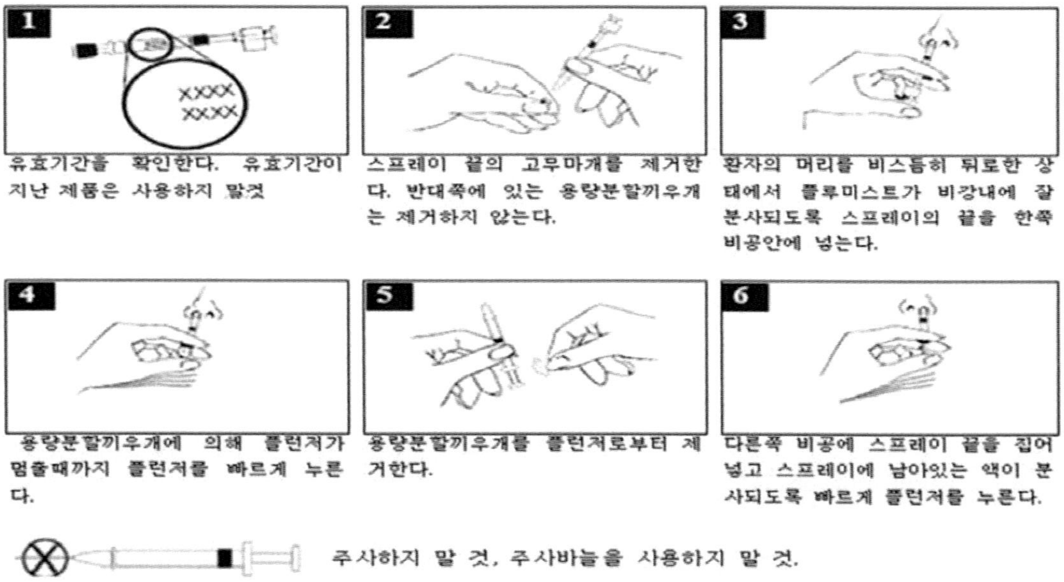

그림 14 비강용 인플루엔자 사용방법

사. 주의사항

1) 일반적 주의사항

▷ 백신 접종 전에 환자의 병력, 이전에 접종한 백신, 백신의 과민반응 및 이상반응의 발생여부에 대해 알아야 한다.

▷ 백신 사용 전에 제품의 혼탁, 착색, 이물의 혼입 등 이상이 있는지 확인한다.

▷ 접종 후 당일 및 다음날은 접종자를 안정하게 하고 접종부위를 청결하게 유지해야 한다. 만일 백신 접종 후 고열, 경련 등의 증상이 나타날 경우 의사의 진찰을 받아야 한다.

▷ 백신 접종 히 드물게 이상반응으로 아나필락시스가 나타날 수 있다. 이를 대비하여 처치시설을 갖춘 곳에서 접종한다.

▷ 이상반응을 확인하기 위해 접종 후 15-20분까지 환자를 관찰한다.

2) 적용상 주의사항

▷ 접종용 기구는 감마선에 의해 멸균해야 하며 실온까지 냉각한 것을 사용한다.

▷ 제품 마개의 주위를 에탄올로 소독한 후 주사침을 찔러 사용해야 한다. 이 때 마개를 벗기거나 다른 용기에 옮겨 사용하면 안된다.

▷ 접종 부위는 에탄올 또는 요오드팅크로 소독한다.

▷ 동일 접종부위에 반복해서 접종하지 않는다.

▷ 주사침은 사용할 때마다 바꾸어 사용한다.

▷ 약은 접종 직전에 용해해야 하며 한번 용해한 것은 바로 사용해야 한다.

3) 저장상 주의

▷ 동결가능한 백신을 제외하고 동결되었을 경우 사용하지 않는다.

▷ 냉장고에서 꺼내 잘 흔들어 균등하게 사용한다.

4) 백신 접종시기와 접종간격

▷ 권고하는 접종 간격 이내 또는 권장하는 최소 연령 이전에 백신을 접종하지 않는다.

▷ 모든 백신은 동시접종 할 수 있다.

▷ 여러 번의 접종이 필요한 백신의 경우 최소 접종 간격을 지켜야 한다.

5) 백신의 이상반응

보통 1,2일 동안 지속되며 38.5℃ 미만의 미열이 나타난다. 소아의 경우 칭얼대고 짜증을 내며 불편해하거나 졸려한다. 주사를 맞은 부위는 통증, 발적, 화끈거림, 가려움증, 부종 및 몇 주간 딱딱한 혹이 생길 수 있다. 드물게 나타나는 이상반응으로는 열성 경련, 갑자기 창백해짐, 힘이 없음, 사망 등이 있다. 각 백신별 이상반응은 아래의 표에 있다. 표에 나타나는 국소반응이란 대부분 2~3일 내에 호전되는 발적, 붓기, 통증 등을 의미한다.

백신종류	흔한 이상반응	드문 이상반응
BCG	국소반응	화농성림프절염, BCG 골염, 전신파종성BCG감염증
B형간염	국소반응, 발열	아나필락시스
디프테리아-파상풍-백일해(DTaP)	국소반응, 발열, 두통, 무력감	3시간 이상의 지속적인 울음, 경련, 저긴장성 저반응성 에피소드, 아나필락시스, 뇌병증, 상완신경염
폴리오	국소반응	
Hib	국소반응, 발열	
폐렴구균(단백결합)	국소반응, 발열, 근육통	
폐렴구균(다당질)	국소반응, 발열	
홍역-유행성이하선염-풍진(MMR)	국소반응, 발열, 두통, 발진, 관절통	열을 동반한 경련, 혈소판 감소증, 아나필락시스, 뇌병증
수두	국소반응	열을 동반한 경련
일본뇌염(불활성화 백신)	국소반응, 발열, 근육통, 구토, 과민성반응	신경계반응(뇌염, 뇌병증, 말초신경증)
일본뇌염(약독화 생백신)	국소반응, 발열, 발진	
인플루엔자(불활성화 백신)	국소반응, 발열	아나필락시스, 길랑-바레증후군, 눈호흡증후군
인플루엔자(약독화 생백신)	발열, 인후통, 오한, 기침,	아나필락시스, 천명

	콧물	
장티푸스	국소반응	
신증후군출혈열	국소반응, 발열, 권태감, 구역질	
A형간염	국소반응, 권태감, 피로	
로타바이러스	보챔, 일시적 설사나 구토	
사람유두종바이러스(HPV)	국소반응, 발열, 메스꺼움, 근육통	
수막구균	국소반응, 무기력	아나필락시스, 길랑-바레증후군(단백결합백신 접종후)
대상포진	국소반응	

12)

표 1 예방접종 후 나타나는 이상반응

6) 어린이 국가예방접종 일정표

접종명	횟수	출생~1개월이내	1개월	2개월	4개월	6개월	12개월	15개월	18개월	24개월~36개월	만4세	만6세	만11세	만12세
결핵(BCG,피내용)	1	1차												
B형간염	3	1차	2차			3차								
디프테리아 파상풍, 백일해 DTaP	5			1차	2차	3차		4차			5차			
디프테리아 파상풍, 백일해 Td, Tdap	1												6차	
폴리오(IPV)	4			1차	2차	3차					4차			
뇌수막염(Hib)	4			1차	2차	3차	4차							
폐렴구균(PCV)	4			1차	2차	3차	4차							
홍역, 유행성이하선염, 풍진(MMR)	2						1차				2차			
수두(Var)	1						1회							
A형간염	2						1~2차							
일본뇌염(생백신)	2						1~2차							
일본뇌염(사백신)	5						1~3차					4차		5차
사람유두종바이러스(HPV)	2												1~2차	
인플루엔자	1					매년접종								

그림 14 어린이 국가예방접종 일정표
13)

12) 예방접종도우미, 예방 접종 후 이상반응
13) 서귀포시 서부보건소, 보건사업안내, <예방접종> 어린이 국가예방접종

03

백신 시장 현황

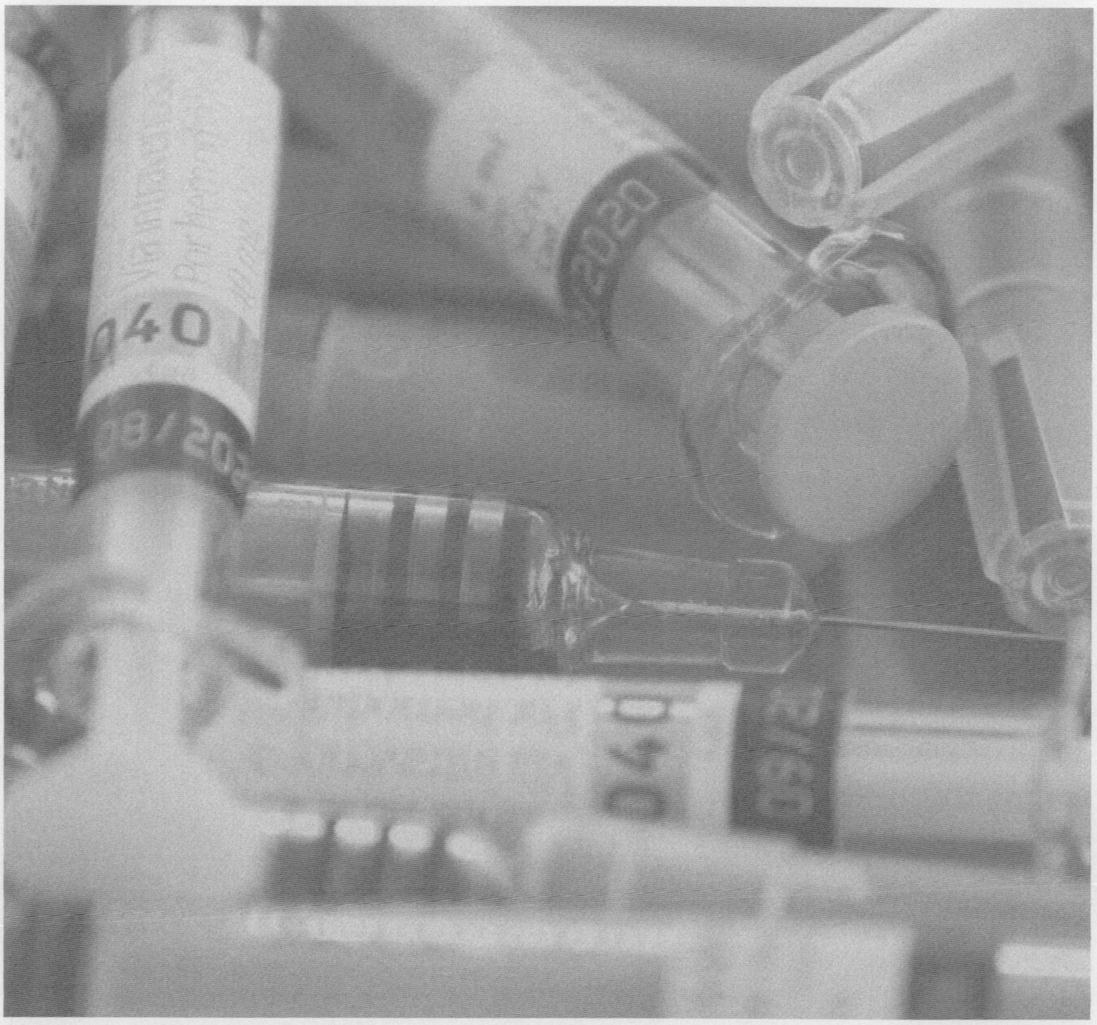

3. 백신 시장 현황

가. 국내시장

1) 규모 및 전망

전 세계적으로 백신이 개발된 질병은 독감을 포함하여 총 28종이다. 이중 국내에서 생산하고 있는 백신은 14종이 있다.

국내 백신 시장규모는 2020년 기준 4억 5100만 달러 규모로 글로벌 시장의 2%를 차지했다. 2015년도~ 2019년도 까지는 연평균 3.2% 성장을 보였지만, 2019년도~ 2020년도 성장률이 30.3%을 기록하면서 시장이 더욱 커지고 있다.

	2016	2017	2018	2019	2020	2021	2022(E)	2023(E)	CAGR[14]
시장 규모	311	325	335	346	451	496	545	600	10%

표 2 국내 백신 시장규모(단위 : 백만 달러)

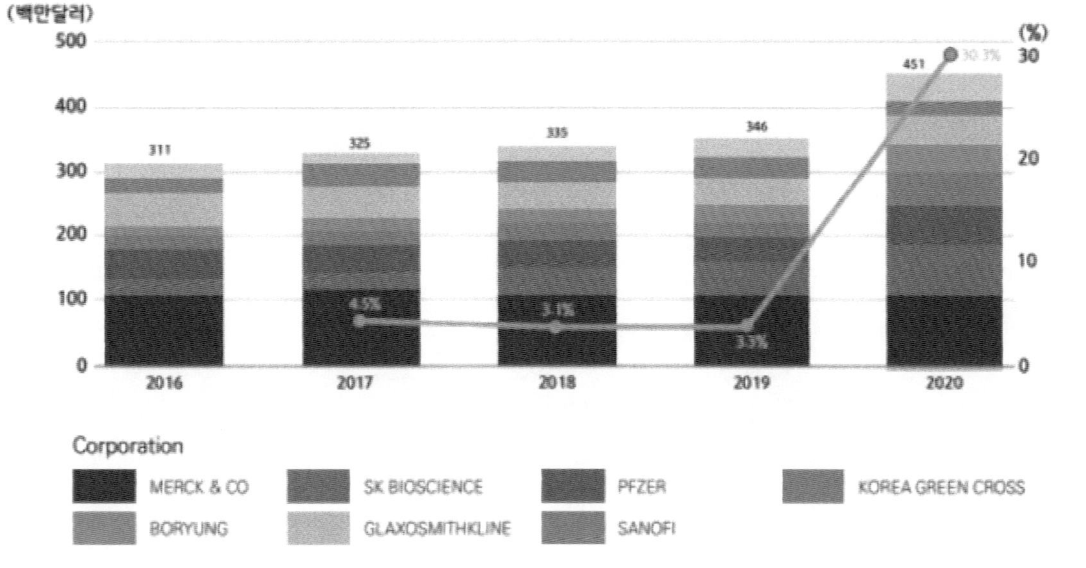

출처 : IQVIA, 한국바이오의약품협회 가공

그림 15 2016-2020 국내 백신 시장 규모 및 성장률

현재 백신의 생산, 수출, 수입 실적이 2019년도 대비 높은 수준으로 증가하였는데 이는 코로나19 상황에서 독감 등 다른 질병 예방을 위해 백신 접종 중요성이 강조되었기 때문이다.

백신 생산 실적은 2017년 기준 4,680억 원으로 국내 바이오의약품 전체 생산액의 18%를 차

14) ㈜비피기술거래 추정

지하였고, 생산 실적의 연평균 성장률은 2%로 꾸준히 상승하였다. (단, 2016년의 생산 실적은 5,244억 원으로 11% 감소하였다.) 최근 2020년도를 기준으로는 7,301억 원으로 전년 대비 54.7% 증가하여 전체 바이오의약품 생산실적 중 유전자재조합의약품 다음으로 2위를 차지하였다.

백신 수출 실적은 2017년도 기준 1,940억 원으로 최근 5년간 연평균 감소률 2%를 보였고, 2020년도에는 수출액 15,179만 달러로 작년 대비 35.5% 증가하였다.

국내 백신 수입 실적은 2015년이 비하여 2016년에 38%증가하였다. 이는 국내에서 생산되지 않는 자궁경부암 예방 백신이 국가필수예방접종으로 신규 지정되었기 때문이다. 2017년 실적은 2,999억 원으로 2016년도에 비해 5% 증가한 수준을 보였다. 2020년에는 28.5% 증가한 29,655만 달러를 기록하였다.[15)]

유엔사업소(UNOPS)에서 발표한 조달 통계보고서에 의하면 2018년도의 국내 기업들이 총 2억 100만 달러(약 2,400억 원)의 제품을 수주한 것으로 보고되었다.

이 중 의약품 규모는 전체 조달액의 77%를 차지한 총 1억5500만달러(약 1,830억 원) 이다. 의약품 가운데 백신이 전체 지분의 약 80%정도를 지니기 때문에 국내 기업의 GC 녹십자 등의 백신 수주액은 1억 달러(약 1,180억원)가 넘는다고 볼 수 있다.

GC녹십자는 2020년 코로나 19 확산에 따른 트윈데믹 우려로 독감백신 수요가 급증하고 처방의약품 사업이 선전하면서 매출이 크게 상승했다. 매출액은 1조 5378억 원으로 2019년보다 2.2%증가 했고, 영업이익은 737억 원으로 46.6% 증가한 것으로 잠정 집계했다. 또한 당기순이익은 1365억 원으로 2019년 대비 53.4% 올랐고 매출총이익률은 34%로 상승률 5%를 보였다. 부문별 매출 구성을 살펴보면 혈액제제 매출이 3742억 원으로 가장 큰 비중을 차지했고, 처방의약품 3162억 원, 백신이 2632억 원으로 뒤를 이었다. GC녹십자의 백신 사업부는 지난해 대상포진 백신 '조스타박스'와 자궁경부암 백신 '가다실' 등 대형 품목의 공동판매 계약이 종료됐다. 하지만 독감백신 '지씨플루콰드리밸런트' 매출이 2297억 원으로 전년대비 38% 상승하면서 부진 위기를 털어냈다. '지씨플루콰드리밸런트'는 지난해 코로나19 장기화에 따른 트윈데믹 우려로 국내외 시장 수요가 급증했다. GC녹십자와 함께 국내 독감백신 시장을 양분하고 있는 SK바이오사이언스가 코로나19 백신 생산에 주력한 데 따른 반사이익까지 누리면서 역대 최대 실적을 올렸다.

[16)]또한 1993년에 세계에서 두 번째, 국내에서는 처음으로 개발한 수두백신은 오늘날 까지 꾸준히 중남미, 아시아 등에 수출되고 있다. 나아가 최근에는 터키, 유럽시장에도 진출하며 수익을 내고 있다.

LG화학은 B형 간염백신 유박스로 80여 개국에 공급하고 있다. 또한 디프테리아, B형간염, 뇌수막염파상풍, 백일해 백신을 5가 백신을 유니세프에 공급하여 2017~2019년에 총 8천100만 달러(약 907억 원) 규모의 계약을 했다. 하지만 백신 자급화를 이룬 B형 간염 국내시장에서

---

15) 식약처 2021년 상반기 백신 산업 최신 동향집
16) 서울경제 신문 '독감백신 수요 급증에 GC녹십자 지난해 영업익 전년 46.6% 껑충'

LG화학 '유박스B'는 매출 45억 원으로 매년 안정적인 매출이 발생하지만 다른 치료 분야 대비 규모가 작은 시장이라는 단점이 있다.17)

2020년 12월 WHO의 발간 자료에 따르면, 코로나19 이전 글로벌 백신 시장은 330억 달러 규모였다. 코로나19 백신 시장규모는 비코로나19 백신 시장의 약 2배에 달했으며, 폐렴구균, 디프테리아·파상풍, 자궁경부암, 계절 독감의 순(2019년 기준)으로 시장이 형성됐다. GSK, 화이자, 머크, 사노피 등 4개사가 전체 백신 시장의 89%를 점유했으며, 한국 백신 수출입 양상도 코로나19 이후 크게 변화됐다.

관세청 수출입 무역통계에 따르면 한국의 백신 수입은 코로나19 영향으로 2020년 3.4억 달러에서 2021년 23.5억 달러로 급증했다. 또한 수출은 2020년 1.7억 달러에서 2021년 5.1억 달러로 증가했다. 이에 따라 지난 해 18억 달러의 무역수지 적자를 냈다.

그간 한국 백신의 주요 수출국은 남미, 동남아 국가였으나 작년에는 호주, 네덜란드 등이 포함됐다. 코로나19 백신의 위탁생산 물량 수출에 기인한 것으로 보여 지며, 특히 필리핀 수출에는 2020년 70만 달러에서 2021년 1억7000만 달러, 호주에는 2021년 9000만 달러가 수출됐다. 수입의 경우 벨기에 수입이 2020년 4000만 달러에서 2021년 13억7000만 달러로 급증했다. 18)

2) 프리미엄백신 시장

최근 국내 제약사들은 필수예방백신에서 벗어나 고가의 프리미엄 백신 시장에 뛰어들었다. 프리미엄 백신 시장은 기술 장벽이 높아 글로벌 제약사들이 단독 독점하고 있었다. 그러나 프리미엄 백신 시장이 매년 높은 성장세를 보이고 있고, 수익이 안정적이며 마진율이 높다. 뿐만 아니라 전 세계로 판로가 예상되어 앞으로의 국내 제약사들의 전망이 기대되고 있다.
국내 제약사들 중 GC 녹십자와 SK케미칼이 먼저 진출했으며 후발주자로 LG화학, CJ헬스케어, 셀트리온도 뒤따르고 있다.
GC 녹십자가 개발하고 있는 차세대 대상포진 백신 'CRV-101'은 지난해 진행된 임상 1상 결과 CRV-101은 3등급 이상의 중증 주사 부위 부작용이 없고, 3등급 전신 부작용 비율이 1.3%로 낮은 것으로 나타났다. 미국 질병예방통제센터(CDC)에 따르면 현재 승인된 대상포진 백신은 약 6명 중 1명(16.6%)이 부작용을 경험한 것으로 보고된다. 또한 CRV-101 상업화에 성공할 경우 기존 백신 대비 부작용 차별성을 인정받으며 수요가 높아질 것으로 기대하고 있다. 2상 임상에서는 CRV-101과 기존 백신을 직접 비교하는 방식의 연구가 진행될 예정이다.19)

---

17) '머니S' 신문 '진입문턱 높지만 고수익보장 프리미엄 백신시장을 잡아라.'
18) 뉴시스 신문 '작년 코로나 백신 시장 78조 올해 101조 전망'
19) 서울경제 신문 'GC녹십자 美자회사 큐레보, 700억 투자유치 대상포진 백신 개발속도'

SK케미칼이 개발한 스카이조스터는 전세계에서 2번째로 개발된 대상포진 백신이다. 2017년도 출시된 이후 단 3개월 만에 누적매출 100억 원을 돌파했다. 또한 800억 원 규모의 국내 대상포진 백신 시장에서 MSD의 조스타박스의 독점을 깨고 국내에서 매출 약 200억 원을 올렸다. 2018년에는 수두 백신 '스카이바리셀라' 개발에 성공하면서 같은 해 7월 1일 SK케미칼에서 독립해 SK바이오사이언스 라는 국내 백신 개발전문기업으로 자리매김하게 됐다. 그 동안 소아장염, 자궁경부암, 장티푸스, 폐렴구균, 로타바이러스 등 다양한 백신 연구개발을 지속했지만, 코로나가 발발하면서 신규 감염병 대처의 백신 개발과 위탁생산에 뛰어들었다. 가장 먼저 국내에 상륙한 아스트라제네카 백신과 후발주자이지만 부작용이 적은 것으로 알려진 노바백스 백신의 위탁생산 계약을 맡았다. 코로나 백신 생산이 다급해지면서 SK바이오사이언스는 주력 제품이 독감백신 '스카이셀플루' 생산을 한시적으로 중단하였고, 현재 국내외에서 지원 받아 코로나 백신 2종 개발 중에 있다. 국내 정부 지원을 받고 자체 개발 중인 'NBP2001'와 빌게이츠 재단 지원을 받고 워싱턴 대학교의 IPD개발사와 공동개발 중인 'GBP510'가 있다. 'NBP2001'는 임상1상을 마치고 데이터를 분석 중이며, 'GBP510'은 최근 우리나라와 유럽, 동남아 등에서 임상3상 시험 대상자 모집을 완료했고, 데이터 분석을 거쳐 이르면 2022년 상반기 국내 신속 허가를 받을 것으로 계획된다.[20]

LG화학은 B형 간염 백신 '유박스B'를 1996년 개발한 후 2016년 '유펜타'(B형간염, 파상풍 등 5가 백신), 2021년 '유폴리오'(폴리오백신)를 비롯해 유폴리오 기반 뇌수막염·소아마비·디프테리아 등 혼합 백신의 임상2상을 진행하고 있다. 특히 '유폴리오'는 출시 첫해부터 유니세프 조달시장을 통해 2년간 약 900억 원 매출을 확보했다. 최근 백일해 정제형 백신 개발에 나섰으며, 정제형 백일해 백신 제조 기술은 사노피와 GSK 두 곳만 보유하고 있다. 이에 따라 글로벌 백신 시장의 추가 사업기회 확보를 위해 '정제 백일해'(aP)를 적용한 개량형 6가 혼합백신을 추가로 개발하고 있는 중이다. 현재 폐렴구균백신 시장에서 화이자의 프리베나13이 80% 이상을 차지하고 나머지는 GSK의 신프로릭스, MSD의 프로디악스, 국내 LG화학의 유박스B가 점유하고 있다. 화이자는 2021년 기준 381억 원을 기록한 것으로 나타났다. 2016년에 SK케미칼의 스카이뉴모가 허가받았지만 특허 문제로 인해 출시되지 못했다.[21]

HK이노엔(구CJ헬스케어)는 2015년부터 수족구병백신 개발을 하고 있다. 현재 전 세계에서 수족구병 백신이 없기 때문에 성공한다면 부가가치는 더욱 커질 것이다. 최근 수족구병 2가 백신 'IN-B001'은 임상 1상이 진행 중으로 임상 2상 진입이 예정돼 있다. 이 밖에도 재조합 단백질 코로나19백신 'IN-B009'도 국내 임상 1상을 진행 중이다. 세포 침투 항암 단백질을 활용해 높은 면역력을 유도했다는 점에서 우수한 효과를 보이고 있다. 이번 1상 결과를 바탕으로 글로벌 임상 진입을 시도할 계획이다.[22]

20) 비즈니스워치 신문 'SK바사, 백신CMO 신의한수 1조 클럽 등극'
21) 머니S 신문 '진입문턱 높지만 고수익 보장 프리미엄 백신 시장을 잡아라.'
22) 바이오인사이트 신문 'HK이노엔 코로나19백신 국내1상 결과 분석 중'

셀트리온은 미래 팬데믹에 대비 mRNA플랫폼을 구축하고 있으며, 미국 파트너사와 함께 오미크론 전용 백신 개발단계에 접어들었다. 또한 현재 유행중인 다양한 변이 바이러스 항원을 활용한 차세대 코로나19 mRNA백신 개발에 중점을 두고 있으며, 코로나19가 엔데믹 상태에 도달했을 때 시장의 요구에 따라 오미크론 전용백신의 상업화 여부를 판단할 계획이다.[23)]

23) 이투데이 신문 '셀트리온, 흡입형 코로나19항체 칵테일 3상 가속화'

3) 국가예방접종 시장

정부에서는 필수예방접종으로 예방접종 중 접종대상, 백신을 지정하여 국가예방접종 지원 사업을 통해 예방접종 비용을 지원하고 있다. 무료접종 대상 백신은 총 17종으로 BCG(피내용), B형간염, DTaP(디프테리아/파상풍/백일해), Td(파상풍/디프테리아), Tdap(파상풍/디프테리아/백일해), IPV(폴리오), DTaP-IPV(디프테리아/파상풍/백일해/폴리오), DTaP-IPV/Hib(디프테리아/파상풍/백일해/폴리오/b형헤모필루스인플루엔자), Hib(b형헤모필루스 인플루엔자), 폐렴구균, MMR(홍역/유행성이하선염/풍진), 수두, 일본뇌염(불활성화 백신), 일본뇌염(약독화 생백신), A형간염, HPV(사람유두종바이러스 감염증), IIV(인플루엔자)이 있다. 감염병 예방관리 사업규모는 2020년에 2821억 원 2021년도 4조4903억 원이다. 2022년 예산계획으로는 782억으로 확정했다.[24]

▷ 국내 백신 제조, 수입 및 유통 현황

제조사의 백신을 제조 및 수입하기 위해서는 식품의약품안전평가원 국가검정센터의 허가를 받아야 한다. 이 때 국가출하승인 여부가 결정 되고 제조사 및 도매상을 통해 유통이 된다. 백신의 유통은 일반 병의원의 민간부분과 보건소의 공공부분으로 나눌 수 있다. 민간부분은 보건복지부가 명시한 백신단가 내에서 제조사와 계약을 해서 백신 비용을 상환 받는 형태이다. 공공부분은 조달청과 계약된 업체들이 보건소에 백신을 공급하는 형태이다.

현재 국가예방접종지원사업 대상 백신 중 시장점유율 100%달하여 독점하는 백신은 총 7개이다. 그 중 국내업체가 제조하는 곳은 ㈜보령바이오파마의 DTaP, ㈜한국백신의 IPV, 한국MSD(주)의 다당질 폐렴구균 백신, ㈜보령바이오파마의 장티푸스백신, ㈜녹십자의 신증후군출혈열백신이다. 해외업체는 사노피파스퇴르(주)의 DTaP-IPV와 DTaP-IPV/Hib 백신이 있다. 백신의 50%이상을 점유하고 있는 백신은 총 15개이다. 이 중 국내업체는 ㈜LG화학의 B형간염백신, ㈜보령바이오파마의 DTaP, ㈜한국백신의 IPV, 한국MSD(주)의 다당질 폐렴구균 백신, 한국화이자제약(주)의 폐렴구균 단백결합백신(PCV10), ㈜보령바이오파마의 장티푸스백신, ㈜녹십자의 신증후군출혈열백신, ㈜보령바이오파마의 일본뇌염베로세포 유래 사백신, 한국MSD(주)의 HPV9, ㈜엑세스파마의 BCG가 있다. 해외업체는 사노피파스퇴르(주)의 DTaP-IPV와 DTaP-IPV/Hib 백신, ㈜글락소스미스클라인의 Tdap, Hib, MMR가 있다.

그 중 디프테리아-파상풍-백일해 백신의 DTaP는 ㈜보령바이오파마가 100%의 시장점유율을 가지고 있다. TdaP는 ㈜글락소스미스클라인이 71.1%에 달했다. 폴리오 백신인 IPV는 ㈜한국백신만 제조해서 시장점유율이 100%에 달한다. 하지만 사노피파스퇴르(주)의 디프테리아-파상풍-백일해-폴리오(DTaP-IPV)나 디프테리아-파상풍-백일해-폴리오-b형 헤모필루스인플루엔자(DTaP-IPV/Hib)의 다가백신 출현으로 백신을 선택하여 접종할 수 있기 때문에 시장점유율 100%는 무의미하다. 그러나 백신을 공급하는 업체가 단 한곳만 존재하기 때문에 시장 독점을

24) 질병관리청 '2022년도 예산 및 기금운용계획 사업설명자료'

주의해야 한다.
장티푸스와 신증후군출혈열 역시 국내 기업인 ㈜보령바이오파마 및 ㈜녹십자가 단독으로 시장을 독점하고 있다.

인플루엔자 백신은 해외기업과 국내기업들과의 경쟁이 치열하다. 국가필수예방접종 사업에 따라 3가 독감백신은 무료로 접종이 가능하지만 4가 독감백신은 전액 환자가 부담해야 한다. 그러나 4가 독감백신 공급량이 2018년에 사상 처음으로 3가 백신 공급량을 넘어섰다. 식품의약품안전처의 보고에 따르면 2018년 8월 기준 3가 백신은 1,000만 명, 4가 백신은 1,200만 명분이 국가출하 승인되었다. 특히 독감백신의 현황은 생후 6개월~35개월 미만의 영유아는 약 90% 이상 접종하지만 만 19세 이상의 성인은 약 30% 예방접종 한다. 따라서 영유아의 독감백신 접종률이 높기 때문에 비용이 들더라도 예방범위가 넓은 4가백신의 수요가 더욱 클 것으로 전망된다.

아래 표는 국가예방접종지원사업의 백신별 종류와 제조 및 수입사, 유통사, 점유율, 국가검정량을 나타내었다.

질환	백신종류	제조-수입사	유통사	점유율(%)	국가검정량(dose)
					2018년
결핵	BCG (피내)	㈜엑세스파마	제이피메디칼	82.9	78805
	BCG (경피)	㈜한국백신	㈜한국백신	17.1	241946
B형간염	B형간염 (유전자재조합)	얀센백신(주)	㈜녹십자	26.6	
		SK바이오사이언스(주)	SK바이오사이언스(주)	13.1	75603
		㈜LG화학	㈜LG화학	60.3	1617152
디프테리아-파상풍-백일해	DTaP	㈜보령바이오파마	㈜보령바이오파마	100	559850
	TdaP	사노피파스퇴르(주)	한독약품	28.9	455668
		㈜글락소스미스클라인	광동제약(주), ㈜유한양행	71.1	1002650
폴리오	IPV	㈜한국백신	㈜한국백신,㈜보령바이오파마	100	605483
디프테리아-파상풍-	Td	SK바이오사이언스(주)	SK바이오사이언스(주)	45.8	180060
		㈜글락소스미스클라인	㈜유한양행	11.1	195046
		㈜엑세스파마	㈜엑세스파마	13.1	57958
		㈜녹십자	㈜녹십자	30	180060
디프테리아-파상풍-백일해-폴	DTaP-IPV	사노피파스퇴르(주)	사노피파스퇴르(주)	100	424509

리오					
디프테리아-파상풍-백일해-폴리오-b형 헤모필루스인플루엔자	DTaP-IPV/Hib	사노피파스퇴르(주)	사노피파스퇴르(주)	100	786783
b형 헤모필루스인플루엔자	Hib	사노피파스퇴르(주)	사노피파스퇴르(주)	10.2	101353
		㈜글락소스미스클라인	㈜광동제약	66.4	
		㈜LG화학	㈜LG화학	23.4	288559
폐렴구균	단백결합(PCV10)	㈜글락소스미스클라인	㈜광동제약	15.9	298560
	단백결합(PCV13)	한국화이자제약(주)	㈜광동제약	84.1	1468776
	다당질(PPSV)	한국엠에스디(주)	㈜녹십자	100	586130
홍역, 풍진, 유행성이하선염	MMR	한국엠에스디(주)	SK바이오사이언스(주)	38	481840
		㈜글락소스미스클라인	㈜광동제약	62	591700
수두	수두	㈜녹십자	㈜녹십자	40.8	366689
		SK바이오사이언스(주)	SK바이오사이언스(주)	16	115190
		보란파마	㈜한국백신	43.2	482700
일본뇌염	일본뇌염	㈜녹십자	㈜녹십자	38.1	814276
	베로세포 유래 사백신	㈜보령바이오파마	㈜보령바이오파마	51.1	404633
	일본뇌염 생백신	㈜글로박스	㈜한국백신	8.8	100000
	일본뇌염 베로세포 유래 생백신	사노피파스퇴르(주)	사노피파스퇴르(주)	2	104107
A형간염	A형간염	㈜글락소스미스클라인	광동제약(주),	23.3	343090

			㈜유한양행		
		사노피파스퇴르(주)	사노피파스퇴르(주)	45.2	705116
		한국엠에스디(주)	SK바이오사이언스(주)	13.5	591650
사람유두종바이러스감염증	HPV2	㈜글락소스미스클라인	㈜유한양행	14.5	105270
	HPV4	한국엠에스디(주)	㈜녹십자	57	386866
	HPV9		㈜녹십자	28.6	301144
장티푸스	장티푸스	㈜보령바이오파마	㈜보령바이오파마	100	137706
신증후군출혈열	신증후군출혈열	㈜녹십자	㈜녹십자	100	157588
인플루엔자	인플루엔자 3가	㈜녹십자	㈜녹십자	17	2553580
		㈜보령바이오파마	㈜보령바이오파마	24.6	2531979
		㈜LG화학	㈜LG화학	7.6	983002
		㈜한국백신	㈜한국백신	6.6	849874
		일양약품(주)	㈜한국백신	12.4	1582090
		사노피파스퇴르(주)	사노피파스퇴르(주)	7.4	968230
		SK바이오사이언스(주)	SK바이오사이언스(주)	24.4	3370472
	인플루엔자 4가	㈜녹십자	㈜녹십자	20.3	2506878
		㈜보령바이오파마	㈜보령바이오파마	13.4	1396505
		보령제약(주)	보령제약(주)	3.1	553895
		㈜LG화학	㈜LG화학	0.3	145730
		일양약품(주)	㈜한국백신	1	318444
		㈜한국백신	㈜한국백신	4.8	880879
		동아ST(주)	동아ST(주)	3.8	350568
		㈜글락소스미스클라인	㈜글락소스미스클라인	21.4	2320010
		사노피파스퇴르(주)	사노피파스퇴르(주)	16.7	1674190
		SK바이오사이언스(주)	SK바이오사이언스(주)	15.2	1793762

표 3 국가예방접종지원사업의 백신 종류와 제조 및 수입사, 유통사, 점유율, 국가검정량 25)

4) 기술 수출 시장

SK바이오사이언스가 자체 개발한 '세포배양 방식 백신'의 관련 기술 이전 및 기술 수출 계약을 프랑스 제약업체 사노피 파스퇴르와 체결했다. 전체 규모는 1억5500만 달러(약 1670억 원)이다. 세부적으로 계약 체결과 동시에 1500만 달러(약 180 억원), 기술 이전 완료 후에는 2000만 달러(약 235억 원)를 받는다. 이후 개발 단계별 기술료인 마일스톤으로 나머지 최대 1억2000만 달러(약 1400억 원)를 받는다. 뿐만 아니라 제품 판매시 일부의 로열티를 추가로 받게 된다. 세포배양 방식 기술은 유정란을 이용하는 기존 방식과 달리 동물 세포를 활용하며

25) 데일리메디팜, 사노피파스퇴르㈜-한국백신-녹십자 등 7개사, 국가예방접종 지원사업 독과점 , 한정렬, 2019.05.30

생산 과정이 빠르고 우수한 효율을 가지고 있는데, 이러한 방식의 인플루엔자 백신 생산 기술이 2021년 12월에 반환되었다고 발표했다.[26]

GC 녹십자의 미국 자회사 큐레보는 대상포진 백신 'CRV-101'를 개발 중이다. CRV-101은 기존에 승인된 대상포진 백신과 비슷한 효능을 보이면서 부작용 부담이 적은 동시에 최적의 면역반응을 내도록 설계됐다. 작년 진행된 임상 1상에서 정상적인 활동이 어려울 만큼인 3등급 이상의 중증 주사 부위 부작용이 없었다. 같은 등급의 전신 부작용 비율이 1.3%로 나타나는 등 면역원성을 보였다. 이에 따라 시리즈A 펀딩을 완료하며 유치한 총 6000만 달러(약700억 원) 자금을 대상포진 백신 임상 2상 등에 사용할 계획이다.[27]

아이진은 자체 개발한 대상포진 예방백신 'EG-HZ'을 한국 비엠아이에 기술 이전하는 계약을 체결했다. 'EG-HZ'는 재조합단백질 기반 백신이다. 아이진과 세종대학교 이나경 교수팀이 연구 개발한 아이진 고유의 면역보조제 기술이 적용되었으며, 2021년 호주 브리즈번 지역에서 임상 1상 시험을 완료했다. 따라서 국내에 'EG-HZ'의 후속 임상 및 시판허가, 생산, 판매&마케팅 등 사업화를 직접 진행할 예정이다.[28]

우진 B&G는 2016년 11월 국내 동물의약품회사로는 최초로 인도의 백신회사 글로비온에 양계백신 제조 기술을 수출했다. 계약금은 42만 달러(약 4억 7000만원)이고 생산되는 제품에 따라 1.25~2.5%의 기술 사용료를 받게 된다. 인도의 가금류 산업은 매년 6% 이상의 성장률을 나타내고 있으며 계란 생산량이 1000억 개에 달한다. 따라서 앞으로의 시장 규모도 더욱 확대될 것으로 전망된다.
우진 B&G는 2017년에 세계적인 동물약품회사 휴베파마(Huvepharma)와 2종의 백신 생산 공정과 대량 생산 공정 기술이전 계약을 했다. 규모는 64만 유로(약 8억원)이며 제품 판매 금액에 따라 3%의 기술로열티를 받게 된다. 휴베파마는 벨기에에 본사를 두고 있고, 불가리아 및 벨기에 등에서 동물약품 시설을 보유하고 있다.

---

26) 매일경제 신문 '바이오 기술수출 대박의 그늘 2년간 10조 다시 뱉어내'
27) BreakNews 신문 '대상포진 백신 시장규모 3조, 국내 제약사들 도전장'
28) 뉴시스 신문 '3조 대상포진 백신 시장, 국내 제약사도 도전'

5) 벤처기업 시장

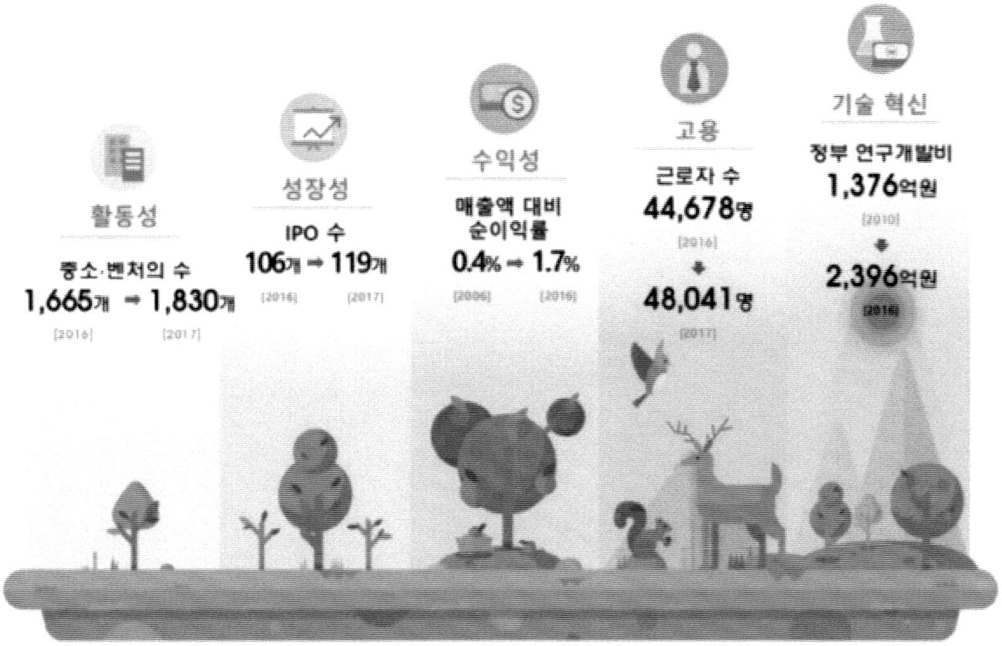

그림 18 국내 바이오벤처 현황
29)

바이오벤처기업에 있어서 백신 개발은 고도의 연구시설이 필요한 뿐만이 아니라 장기간의 임상시험이 요구되어 쉽게 도전할 수 없는 분야이다. 그러나 과학기술정보통신부에 따르면 2017년 국내 바이오벤처 기업 수는 1830개로 2016년 보다 9.9% 증가한 것으로 나타났다.
다음은 국내·외 바이오벤처의 현황이다.

큐라티스는 미국 비영리기관인 IDRI(Infectious Disease Research Institute)로부터 임상 2a상을 마친 QTP010을 도입하여 개발 초기의 리스크를 해소했다. 최근에는 오리온홀딩스와 결핵백신 공동개발을 위한 계약을 체결했다. 투자규모는 약 2천억 원으로 추후 합자법인을 설립해 성인용 결핵백신을 개발하고 임상 및 인허가도 함께 추진할 계획이다. 또한 중국 산둥성 지닝시에 백신 개발 및 양산을 위한 약 1만평 규모의 대규모 바이오 플랜트 건설을 추진한다. 오리온홀딩스 중국내 합자법인에 백신 생산설비 구축 기술을 이전하고 중국 내 백신 파이프라인 확대를 위해 긴밀하게 협력한다. 합자법인을 통해 바이오의약품 CMO(위탁생산) 및 CDMO(위탁개발)사업도 함께 추진할 계획이며, 신규 연구센터를 구축하는 등 연구개발 강화에도 나선다.[30]

항암 면역치료백신을 개발하는 셀리드의 주가가 코스닥 상장 첫 날부터 강세를 보이며 신라젠

29) 과학기술정보통신부
30) 세계일보 신문 '오리온홀딩스, 큐라티스와 백신 공동개발 계약 체결'

을 넘을 기세이다. 셀리드의 공모가는 3만3천원이지만 33% 뛴 4만 3750원으로부터 거래가 시작되었다. 셀리드는 2006년 서울대학교 약학대학 실험실에서 출발해서 셀리백스 라는 면역치료기술을 개발하고 있다. 셀리백스는 환자의 면역세포를 이용하는 맞춤형 면역치료백신이다. 또한 제조기간의 단축화로 하루 만에 제조할 수 있어 상업성이 뛰어나며, 인체 내의 선천면역계와 적응면역계 모두 활성화시켜 치료의 효과가 넓다. 또한 코로나19 백신 AdCLD-CoV19-1의 임상1상을 마치고 임상2b상을 승인받아 앞으로는 오미크론 변이 백신 개발을 위한 임상시험계획을 신청한다는 목표를 세웠다. 단기적으로 오미크론 변이 전용 근육투어용 백신, 장기적으로 경구 투여용 백신의 후보물질을 도출해 승인받기로 하였으며, 현재 비임상 및 임상에 필요한 오미크론 변이 백신 시료를 생산하고 있다.[31)]

셀리드의 자궁경부암 등 치료백신 BVAC-C는 미국바이오기업 네오이뮨텍에 56만 7천달러를 받고 기술수출을 했다. 나아가 셀리드 관계자들은 2020년에도 일본과 중국에도 기술수출을 목표로 하고 있다.

제넥신은 코로나19 백신 개발을 철회하고 매출이 2배가량 늘고 영업 적자 폭은 절반으로 줄었다. 이번 매출 급증에는 KG바이오로부터 면역항암제 'GX-17'의 기술이전에 따른 마일스톤으로 299억 원을 수령한 효과가 컸으며, 그 외에 한독, 네오 이뮨텍 으로부터 프로젝트 개발용역으로 59억 원을 받았다. 'GX-17'은 제넥신의 주력 파이프라인으로 항암 면역치료제이다.[32)]최근에는 항암 백신과 면역항암제의 삼중병용요법이 식품의약품안전처에서 연구자 주도 임상 2상 승인을 받았다고 밝혔다. 이번 임상은 제넥신의 암 치료 DNA백신 'GX-188E', 면역항암제로 개발 중인 'GX-17'에 미국 BMS의 면역항암제 '옵디보'를 함께 투여하는 삼중병용요법에 대한 연구이며,[33)] 기존 파이프라인에 역량을 집중해 앞으로의 추가 기술수출을 계획하였다.

31) 핀포인트 뉴스 '백신치료제 심사 빨라지나 윤석열 정부 바이오과제'
32) PAXNet 뉴스 '제넥신, 지난해 매출 2배 영업 적자 절반'
33) 뉴시스 뉴스 '제넥신, 암 백신 면역항암제 삼중 병용 임상 2상 승인'

정부의 백신산업관련 사업 추진으로 국내 백신산업의 선도적 역할을 수행하고 있다.

화순 백신산업특구는 의약품 연구개발(R&D), 전임상(GLP), 임상(GCP), 의약품 제조(GMP)에 이르는 백신 관련 전주기 인프라가 구축된 국내 유일한 지역이다. 의약품 연구개발(R&D)로 전남생물산업진흥원 생물의약연구연구센터, 전임상(GLP)로 한국화학융합시험연구소, 임상(GCP)로 화순전남대병원, 시제품 생산으로 국가미생물실증지원센터, 대량생산을 목적으로 ㈜녹십자가 함께하고 있다. 전라남도는 코로나19 사태의 영향으로 백신 의약품 공정개발 전문 인력 양성 수요가 급증하고 있어 화순백신산업특구를 활용해 매년 백신 바이오 전문 인력 530명을 양성하기로 했다. 또 국가미생물실증지원센터와 연계해 매년 200명의 글로벌 백신 공정 전문 우수 인력을 양성하는 '백신 특화 공정인력 양성사업'을 2023년 국고사업으로 건의했다. 국가미생물실증지원센터는 국제 규격의 미생물 기반 임상용 백신 위탁생산 시설이며, 올해부터 2026년까지 사업비 430억 원을 추가로 투자해 국내 첫 공공기반 메신저 리보핵산(mRNA)백신 연구생산시설인 백신 실증지원 시설도 구축한다. 생물의약연구센터에서도 바이오 제조 GMP 기술인력 양성사업을 통해 해마다 바이오 제조 전문 인력 30여 명을 배출하고 있다. 최근에 준공된 국가백신 안전기술 지원센터는 총 사업비 690억 원을 들여 백신 연구개발 컨설팅부터 임상, 승인까지 백신 전 주기 기술 등을 지원하는 국가 백신 전략의 핵심 시설이다. 이곳에서는 세포 관리, 마스터 셀 뱅크 등 품질관리부터 GMP 모의평가, 바이오 의약품 인허가 과정 등을 수행하는 규제과학 전문 인력을 매년 300명씩 배출할 예정이다.[34)]

이와 관련하여 2018년 전라남도는 바이로슈어, ㈜영사이언스, ㈜큐리진, 한국프라임제약㈜ 등 국내외 바이오·제약 기업과 투자협약을 체결했다. 협약 내용은 백신원액 제조, 백신 제품 개발, 화순백신산업특구에 공장 설치와 운영에 관련되었다.

바이로슈어와 ㈜영사이언스는 바이오 의약품 안전성 시험 특화된 기업이다. 화순 백신산업특구에서 면역치료제 분석시험과 세포주 품질관리에 부분에 대해 기술 투자를 한다.

㈜큐리진은 항암바이러스를 기반으로 유전자 치료제를 개발하고 있는 유망 벤처기업이다. 이번 계약을 통해 항암 치료제 개발 및 생산 사업에 협력할 예정이다.

㈜한국프라임제약은 전문의약품 연구개발 및 제조판매 등으로 연매출 1000억 원을 기록하는 중견기업이다. E형 간염백신과 노인성 황반변성 예방 치료제 분야에 대한 공동개발 및 의약품 생산시설의 투자할 예정이다.

경상북도 포항에 국내 최초 식물백신 기업지원 시설인 '그린백신 실증지원센터'가 준공하여 본격적인 운영에 들어갔다.

---

34) 한경사회 신문 '전남 백신산업 전문 인력 키울 것'

그린백신 실증지원센터는 유망 그린바이오 산업을 집중적으로 육성하기 위해 구축한 국내 최초의 그린백신 생산 기업지원시설이며, 농림축산식품부와 경상북도 포항시가 지난 2018년부터 총 177억 원을 투입해 건립된 핵심시설로 포항 테크노파크에서 운영할 예정이다.
센터는 그린백신 생산과 실증에 필요한 밀폐형 식물공장과 주사제 제형의 동물의약품 생산시설, 동물효능평가시설, 그리고 기업들이 입주해서 연구를 할 수 있는 기업지원공간으로 구성되었으며, 기업성장을 위한 다양한 프로그램을 발굴 지원하여 그린백신 기업들의 집적화를 통한 효율성을 극대화하고 입주 기업들이 글로벌 기업으로 성장할 때까지 적극 지원할 계획이다.
'그린바이오 신산업 육성을 위한 상호 업무협력' 협약은 경상북도, 포항시, 포항테크노파크, 그린백신 실증지원센터에 입주하는 5개 그린바이오 기업(㈜바이오앱, ㈜툴젠, ㈜지플러스생명과학, ㈜진셀바이오텍, ㈜바이오컴)이 함께 참여했다.
그린백신 실증지원센터의 준공은 포항에 구축된 식물백신 생산시설을 기반으로 식물을 활용한 동물용 백신 및 의약품 시장에 본격적으로 진입한다는 데 큰 의의가 있을 뿐만 아니라 국내 자체 기술개발을 통한 원천기술 확보 및 동물용 의약품 수입대체 효과가 매우 클 것으로 예상된다.
향후 반려동물용 의약품, 인수공통 및 인체용 의약품 등의 바이오 의약품과 화장품, 식품 등의 기능성 소재 산업으로의 식물백신 적용기술 확대 보급을 위한 R&D사업 및 상용화 지원사업 등을 적극적 확대 하여 경상북도와 포항시가 그린백신, 그린바이오산업의 세계적인 메카가 될 수 있도록 집중 육성할 계획이다.[35)]

식물백신이란 한국과학기술기획평가원(KISTEP)이 발표한 미래 안전사회에 기여하는 10대 미래유망기술 중 하나이다. 식물백신은 병원체의 DNA가 도입된 형질전환 식물체를 이용해 생산되는 백신을 의미한다. 이는 기존 백신과 다르게 바이러스를 배양하지 않아 병원체가 전파될 위험이 없다. 또한 대량생산이 가능해 질병 확산이 될 경우 효율적으로 대처할 수 있다.

우리나라는 지난 4년간 가축질병으로 약 4조원 규모의 손실을 입었다. 식물백신이 국내에서 생산된다면 백신시장에서의 수입 의존도를 낮출 수 있으며 차세대 바이오산업으로 성장할 수 있다.

35) 시사통신 신문 '포항시 국내최초 그린백신 실증지원센터 준공'

나. 해외시장

1) 규모 및 전망

연도	2017	2019	2028
매출액(억 달러)	335	396	1035

표 4 해외 백신 시장규모(단위 : 억 달러)

글로벌 백신 시장 규모는 2017년 335억 달러, 2019년에는 396억 달러로 증가하였으며 2028년에는 1,035억 달러로 급속도로 성장할 것으로 예상된다.

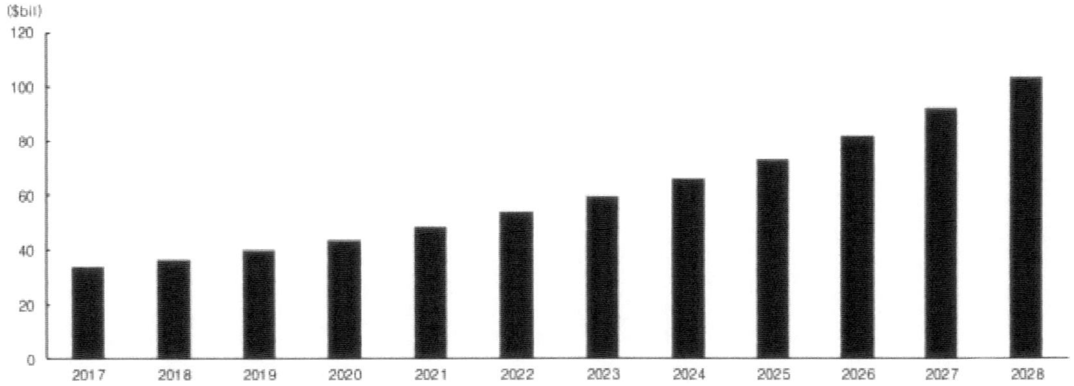

출처: 문경준(2020) 재인용

그림 19 글로벌 백신 시장 규모 및 향후 시장전망

고령화와 신종 감염병이 늘어나고 새로운 백신의 개발 등으로 백신 시장의 꾸준한 성장이 예상된다. 특히 항암백신 등 치료백신의 성장률이 특히 높을 것으로 전망한다. 치료백신이란 건강한 사람을 대상으로 예방을 목적으로 하는 기존 백신과 달리, 면역체계의 조절을 통해 에이즈나 간염, 인유두종바이러스(HPV) 등 만성감염질환이나 암, 자가면역질환 등을 치료하는 것을 목적으로 하는 백신이다.

백신 종류별로는 2세대인 아단위 백신과 단백접합 백신이 2020년 기준 약 17억 달러로 가장 비중이 크고, 전통적 백신인 생백신과 사백신이 뒤를 잇는다. 3세대 백신인 mRNA백신, DNA 백신, 바이러스벡터 백신도 코로나19백신을 시작으로 본격적인 시장을 형성할 것으로 나타난다.

2019년 기준 시장 규모가 가장 큰 백신은 폐렴구균 백신(7.5조원 규모)이고, DTP(디프테리아, 파상풍, 백일해)와 인플루엔자, 암, HPV, 수막구균, 간염 백신 순으로 나타났다. 향후 감염병이 아닌 암 치료를 위한 항암백신 시장이 높은 성장세를 보일 것으로 예상된다[36].

36) 한국과학기술기획평가원 기술동향브리프「백신 플랫폼 기술(2021-08) p15-16」

헬스케어 시장분석기관인 airfinity 자료에 따르면, 2021년 코로나19 백신 시장은 656억 달러 규모로 비 코로나19 백신 시장인 330억 달러의 약 두 배 시장을 형성했다.
2021년 코로나19 백신 매출의 약 83%는 화이자, 모더나가 차지했으며, 2022년에도 이들 두 개 기업의 코로나 19백신 매출이 지속적으로 증가할 전망이다.
2022년에는 29% 증가한 849억 달러에 달할 것으로 전망되며, 중국 코로나19 백신은 제외됐다.
화이자 바이오앤텍 백신은 2021년 375억 달러의 매출을 기록했으며, 2022년에는 426억 달러를 기록할 것으로 전망된다. 모더나 백신은 2021년 169억 달러에서 2022년 257억 달러의 매출을 기록할 것으로 전망된다. 얀센 백신은 2021년 24억 달러에서 2022년 35억 달러로 증가하고, 아스트라제네카 백신은 37억 달러에서 43억 달러로, 노바백스 백신은 2022년 신규로 46억 달러 매출이 전망된다.

2020년 12월 WHO 발간자료에 따르면, 2019년 기준 글로벌 백신 시장은 330억 달러로 추정되며, 전체 의약품 시장의 2%를 차지했다. 지역별로 보면 2019년 기준 글로벌 백신 시장의 68%는 미국과 유럽이 차지했다.
2019년 기준 글로벌 백신 시장은 GSK, Pfizer, Merck, Sanofi 등 4개 기업이 전체시장의 약 89%를 점유하고 있으며 GSK부터 차례대로 점유율 40%, 17%, 17%, 15%로 나타나며 GSK가 점유율 1위를 차지했다.
종류별로는 폐렴구균백신(PCV)이 70억 달러로 가장 큰 시장을 형성했고, 디프테리아와 파상풍 포함 백신(D&T-containing)이 43억 달러, 자궁경부암백신(HPV) 41억 달러, 계절독감 40억 달러의 시장을 형성했다. 그 뒤로 대상포진(Shingles) 24억달러, 로타(Rota) 23억달러, 수막구균(Meningococcal) 23억달러, 홍역포함백신(MCVs) 19억달러, 수두백신(Varicella)이 17억달러의 시장을 형성하고 있다. 특히 2030년까지 PCV, HPV 백신은 급격히 성장할 것으로 전망된다.[37]

37) 보건뉴스 '글로벌 코로나 백신시장 지난해 656억 규모'

2017~2024년 백신 매출 톱 10 회사						
회사	매출(100만$)		연평균 증가율	시장 점유율		순위 변동
	2017	2024		2017	2024	
GlaxoSmithKline	6,652	10,742	7%	24.0%	24.1%	0
Merck & Co	6,546	9,398	5%	23.6%	21.1%	0
Sanofi	5,764	8,130	5%	20.8%	18.2%	+1
Pfizer	6,001	7,256	3%	21.7%	16.3%	-1
Novavax	-	2,650	n/a	-	5.9%	n/a
Emergent BioSolutions	287	1,119	21%	1.0%	2.5%	+1
CSL	835	1,068	4%	3.0%	2.4%	-2
Inovio Pharmaceuticals	-	671	n/a	-	1.5%	n/a
Bavarian Nordic	8	544	84%	0.0%	1.2%	+11
Mitsubishi Tanabe Pharma	407	501	3%	1.5%	1.1%	-4
Top 10	**26,500**	**42,078**	**7%**	**95.7%**	**94.3%**	-
기타	1,182	2,550	12%	4.3%	5.7%	-
전체 매출	**27,682**	**44,627**	**7%**	**100%**	**100%**	-

그림 18 백신 매출 top 10 회사

GSK는 전 세계 백신 판매 1위 기업으로 국내에 15종 이상의 백신을 출시했다. 또한 14종 이상의 백신을 개발 중에 있어 연평균 성장률 7%를 가지며 2024년 107억달러 규모 전세계 1위 백신 기업을 지킬 것으로 예상된다.

MSD는 인간유두종 바이러스(HPV)로 인한 자궁경부암 치료제로 가다실(Gardasil)으로 프리미엄 백신 시장에서 높은 부가가치를 창출하고 있다. 이에 따라 2024년도에 21.1%의 시장점유율을 가질 것으로 전망된다.

사노피의 높은 성장률은 펜타셀과 플루 주사 플루존이 뒷받침 하고 있다. 2017년도와 비교해서 이 두 가지의 백신은 총 14.5억 달러 매출 성장이 예상된다.

노바백스는 현재까지 매출이 없는 반면 2024년에는 26.5억 달러의 매출을 올려 시장점유율 6%를 확보할 것으로 추정된다. 노바백스는 RSV 복합 백신을 개발하여 18.2억 달러의 매출을 올릴 것으로 전망된다.

에머전트 바이오솔류션스는 탄저백신 뉴트락스의 출시로 21%의 연평균 성장률을 지닐 것으로 추정된다.

38)

38) 메디팜스투데이, 글로벌 백신 시장 판도변화 온다, 고재구, 2018.06.18

2020년 글로벌 매출 Top5 백신은 아래와 같다.

2020년 글로벌 매출 Top5 백신				
순위	제품명(제약사)	2014 매출	2020 매출 전망	CAGR
1	프리베나13(화이자)	$42억 9,700만	$58억 3,000만	5%
2	가다실(MSD)	$20억 3,000만	$25억 2,000만	4%
3	플루존(사노피)	$17억 2,000만	$20억 3,000만	3%
4	펜타셀(사노피)	$15억 3,000만	$16억 8,000만	2%
5	페디아릭스(GSK)	$13억 6,000만	$15억 4,000만	2%
Source: EvaluatePharma, FiercePharma(헬스포커스뉴스 재구성)				

그림 20 글로벌 매출 top5 백신 종류

화이자의 폐렴구균 단백접합백신 프리베나13은 연평균 증가율 5%를 지니며 2020년 58억 달러의 매출을 올릴 것 으로 예측된다. MSD의 판매실적이 가장 높은 인유두종 바이러스(HPV) 백신의 가다실은 2위를 차지하며 2020년 25억 2000만 달러의 매출을 올릴 전망이다. 사노피는 인플루엔자 백신 플루존과 소아 종합백신(디프테리아, 파상풍, 백일해, 소아마비, b형 헤모필루스 인플루엔자) 펜타셀로 Top5안에 들며 제약사 매출도 Top5안에 이름을 올릴 것으로 기대된다.

GSK의 소아 종합백신(디프테리아, 파상풍, 백일해, B형 간염, 소아마비) 페디아릭스는 꾸준히 인기 있는 백신으로 2020년 15억 4,000만 달러의 매출을 올려 5위에 들어설 것으로 예측된다.[39]

전 세계적으로 백신산업이 성황을 이룬 가운데 백신 위탁생산 시장 규모는 2016년도 18억 달러에서 2025년까지 연평균 9.3%의 비율로 성장할 것으로 전망된다.

특히 유정란을 사용하여 백신을 제조한 기존방법에서 세포 기반 백신 생산으로 패러다임이 전환되며 여러 제약사들의 생산이 증가되고 있다. 그러나 외부에 위탁, 처리하는 아웃소싱이 위험하다고 판단해 자체적으로 생산하는 소규모 업체들도 있다. 백신 위탁 제조업체는 론자, 후지필름, 아지노모토, 독일 MSD, 사이토밴스 바이올로직스, 카탈렌트, IDT 바이올로지카, 알바니, 모큘러 리서치, PRA 헬스 사이언스, 아이콘, 파마슈티컬 프로덕트 디벨롭먼트, 코브라 바이오, 파라곤 바이오서비스 등이 있다.

영국 시장조사기관 메디칼 리서치 카운실(MRC)에 따르면 2017년도 기준으로 세계동물백신 시장 규모는 약 54억 달러이며 2022년에는 91억 달러 규모 까지 성장할 것으로 분석하고 있다. 최근 인구 성장으로 육류 등의 동물성 식품의 수요가 계속 증가하고 있고, 반려동물 산업이 증가함에 따라 동물 백신 시장의 성장에 활력을 불어 넣고 있다.

39) 헬스포커스 뉴스, 2020년 백신 매출 Top5 제약사는?, 조성우

2) R&D

글로벌 예방 백신의 단계별 연구개발 현황을 살펴보면 후보물질탐색이 36건, 비임상이 126건, 임상1상이 78건, 임상2상이 111건, 임상3상이 72건 이다.

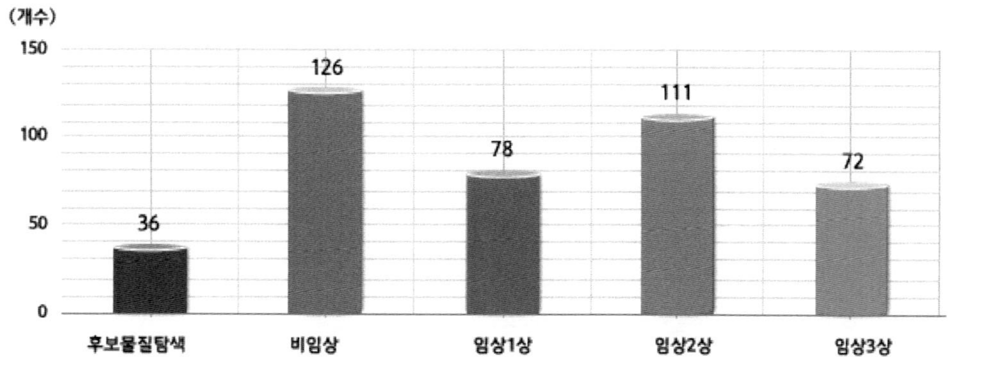

출처 : IQVIA, 21.6.8

그림 23 글로벌 백신 단계별 연구개발 현황

최근 가장 많이 연구하는 질병은 코로나19 였으며, 가장 많은 연구를 진행하는 기업은 GSK로 나타났다. 전 세계 백신의 연구개발의 코로나19예방 백신은 22%, 111건이며 계절독감백신이 7%, 38건 암백신 6%, 33건 HPV백신이 3%, 17건으로 뒤를 이었다.

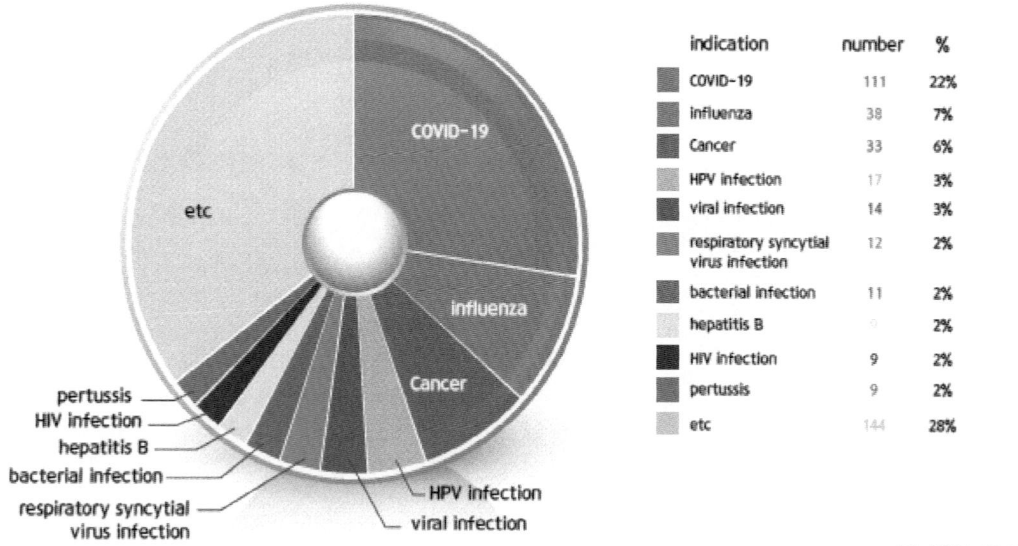

출처 : IQVIA, 21.6.8

그림 24 글로벌 백신 종류별 연구개발 현황

기업별로는 GSK가 19건으로 가장 많은 연구개발을 진행중이며, SANOFI, Cansino Biologics, Neoimmunetech/Genexine, Epivax, Moderna, Innovio등이 뒤를 이었다.

3) M&A

제약회사에서의 M&A는 경쟁사를 인수해 규모를 키우는 역할을 하며 시장점유율을 높여 수익성을 개선할 수 있다. 또한 개발 중인 의약품을 확보해서 포트폴리오 구성을 다양하게 변화시켜 꾸준히 증가하는 추세이다.

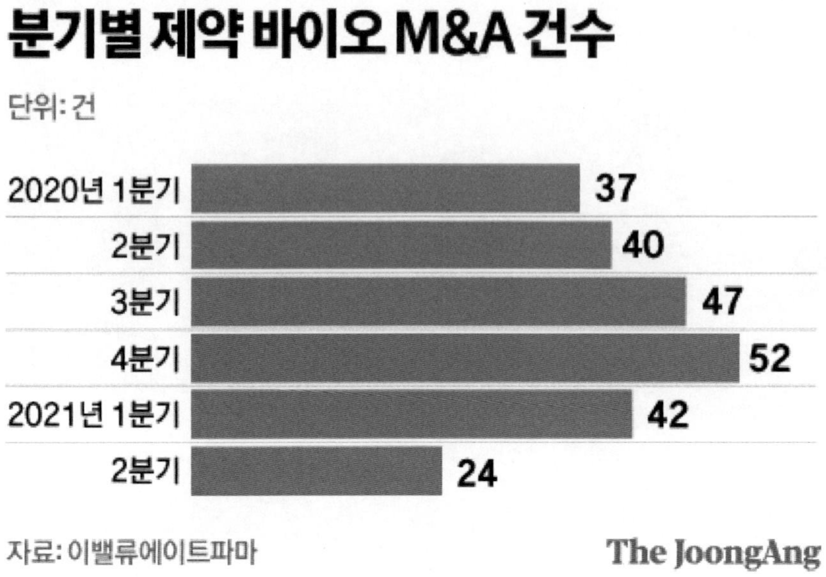

그림 25 분기별 바이오 M&A 건수

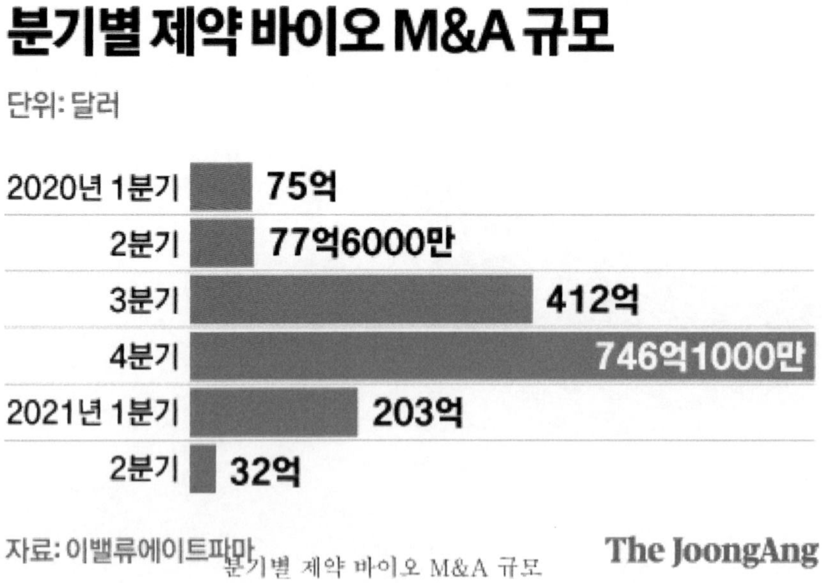

분기별 제약 바이오 M&A 규모

그림 26 분기별 제약 바이오 M&A규모

전 세계 제약·바이오 업계 인수합병(M&A) 시장이 올해 들어 급격히 쪼그라들고 있다. 기업가치 급등과 각국의 정책규제 등이 배경으로 꼽힌다. 다만 중·소형 M&A나 소수지분 투자 등을 통해 파이프라인(pipeline·신약 개발 후보)을 확대하고 있다는 분석도 나온다.

제약·바이오 시장조사업체인 이밸류에이트파마에 따르면, 지난 2분기 전 세계 M&A 거래 건수는 10년래 최저 수준을 기록했다. 이 기간 제약·바이오 분야 M&A는 24건에 그쳤다. 지난 1분기 거래 건수(42건)나 지난해 4분기(52건) 거래 건수와 비교하면 절반 수준이다.

거래액을 기준으로 보면 위축된 M&A 시장 규모가 더욱 확연히 드러난다. 2분기에 이뤄진 M&A의 거래 규모는 총 32억 달러(약 3조6800억원)다. 이는 분기별 거래 규모 기준 2011년 3분기(37억 달러·약 4조2600억원) 이후 최저 수준이다. 지난 1분기(203억600만 달러·약 23조4200억원)나 지난해 4분기(746억1000만 달러·약 85조8000억원)와 비교하면 확연히 줄어든 수치다.

이렇게 2분기 거래 규모가 줄어든 배경에는 이른바 '빅딜'이 없었기 때문인 것으로 알려졌다. 지난 분기 가장 큰 거래는 독일 제약사 모르포지스가 인수한 미국 컨스털레이션 파마슈티컬스였다(17억 달러·약 1조9600억원). 이를 제외하면 5억 달러(약 5700억원)를 넘는 거래는 없었다.

이에 비해 1분기엔 아일랜드 기반 제약기업 재즈파마슈티컬스가 영국 제약사 GW파마슈티컬을 인수하면서 72억 달러(약 8조2800억원) 규모 M&A가 성사했다. 지난해 4분기에도 영국 아스트라제네카가 면역 분야 경쟁력을 강화하기 위해 미국 알렉시온을 390억 달러(약 44조8500억원)에 인수했다. 미국 길리어드사이언스도 같은 기간 항암제를 제조하는 바이오기업 이뮤노메딕스를 210억 달러(약 24조8500억원)에 인수했다.[40)]

4) 프리미엄백신 시장[41)]

프리미엄백신 시장 규모는 2014년 기준 사노피사, GSK사, MSD사, 화이자사, 노바티스사의 매출 합산 약 97억 달러이며 연평균성장률은 8.1% 이다. 이에 따라 백신의 매출 중 프리미엄 백신의 시장 점유율은 47.7%에 해당되며 2021년에는 169억 달러 규모의 매출을 올릴 것으로 전망된다. 프리미엄 백신은 필수 접종 백신 외에 선택적으로 접종하는 백신이다. 종류로는 폐렴구균백신, 자궁경부암예방백신, 로타바이러스백신 등이 있다. 프리미엄 백신의 특성 상 국가에서 지원하는 백신이 아니므로 가격 통제에서 벗어날 수 있다는 장점을 지니고 있다. 또한

40) 중앙일보 '빅딜 어디갔나 제약업계 거래 금액 안보인다'
41) 헬스조선, 필수예방접종백신 지고, 프리미엄백신 뜬다

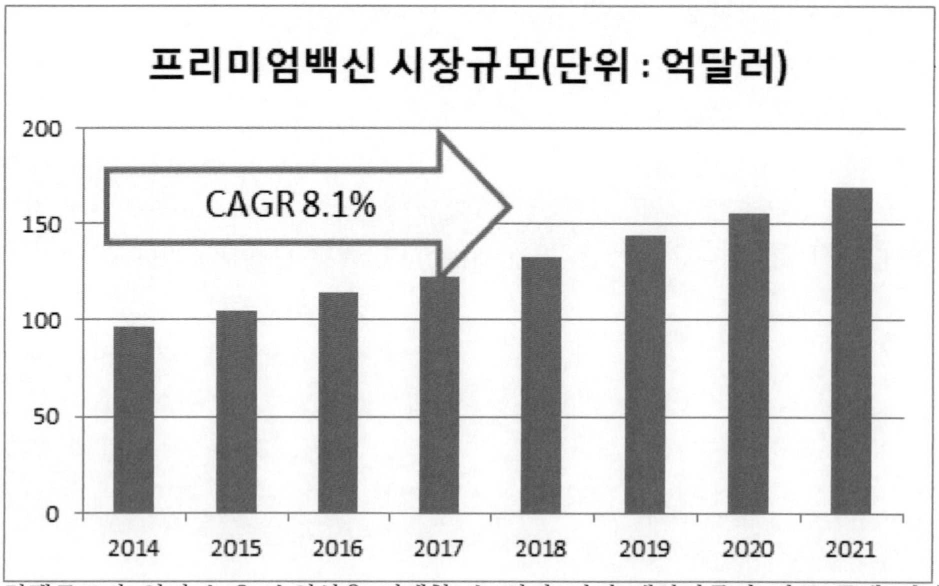

경쟁구조가 없어 높은 수익성을 기대할 수 있어 여러 제약사들이 연구 중에 있다.

▷ 폐렴구균백신 시장

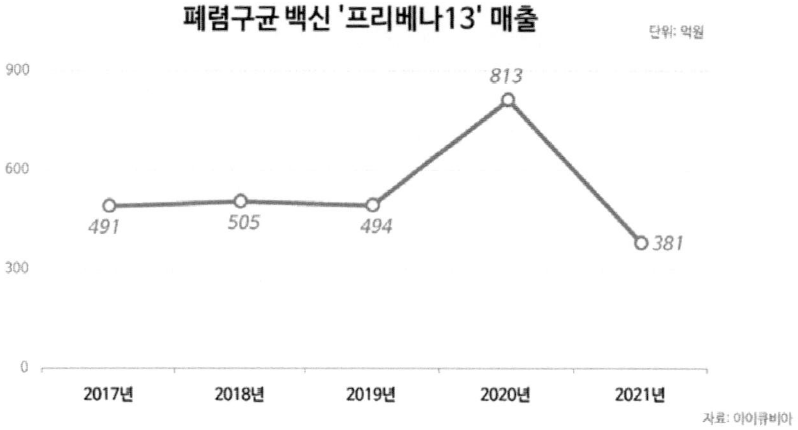

그림 28 폐렴구균 백신시장 ‘프리베나13’ 매출

폐렴구균백신 시장 규모는 5대 기업을 기준으로 2014년 64억 달러이며, 프리미엄백신 시장에서 66.7%를 점유하고 있다. 2010년부터 2014년까지 연간 6.2% 성장했지만 2021년도 프리베나13 매출은 381억 원으로 2020년도 813억원 대비 53.1% 감소했다. 코로나 이전인 2019년도 494억 원보다 적은 매출을 기록했다. 프리베나13은 13개의 폐렴구균 혈청형(1, 3, 4, 5, 6A, 6B, 7F, 9V, 14, 18C, 19A, 19F, 23F)에 대한 감염을 예방하는 13가단백접합백신(PCV13)이다. 코로나19 팬데믹 속 폐렴 증상을 약화하는데 도움을 줄 수 있다는 기대감으로 한때 접종 수요가 급증한 바 있다. 2020년 분기 매출액이 최고 242억원까지 증가했다.

하지만 지난해 프리베나13 매출은 감소세로 돌아섰다. 2021년 1분기 매출은 94억원으로 전분기 대비 55.5% 하락했다. 이 같은 흐름은 2분기와 3분기에도 지속됐다. 4분기 132억원으로

반등에 성공했지만, 전년 동기와 비교하면 24.8% 감소한 수치다.[42]

▷ 항암백신 시장

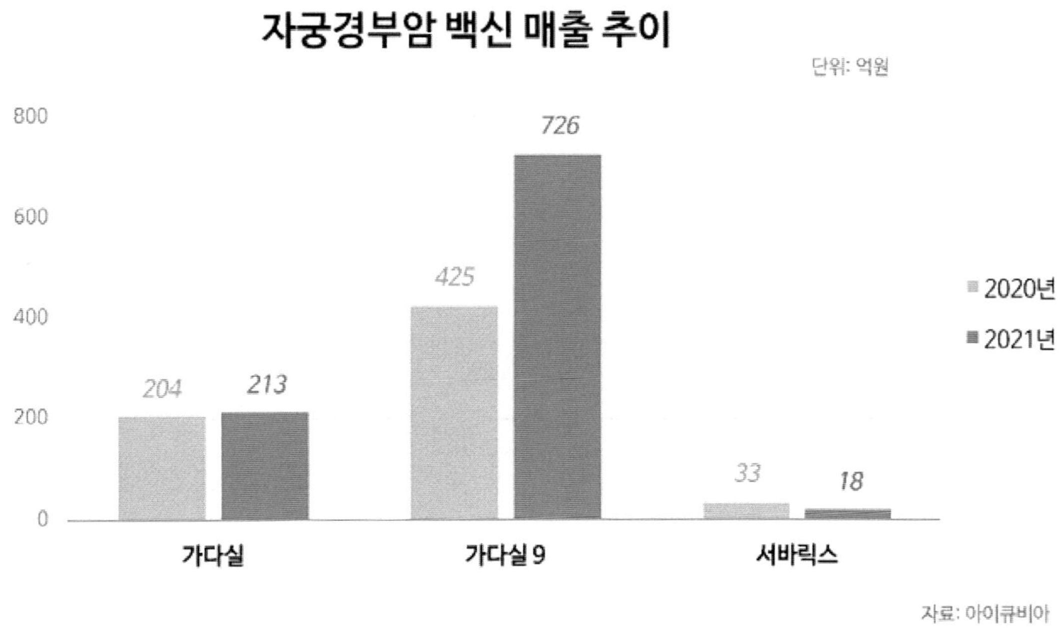

그림 24 자궁경부암백신시장 매출

글로벌 항암백신 시장은 2015년 25억 달러(약 3조 원)에서 2022년 75억 달러(약 8.9조 원)로 연평균 17%의 성장률을 보이고 있다. 항암 백신은 예방 백신과 치료 백신으로 나누어 질 수 있다. 예방백신이란 바이러스를 표적으로 하고 치료 백신은 암세포 자체를 표적으로 한다. 치료 백신은 암세포에서 특이적으로 발현되는 항원을 주사해서 인체의 면역시스템이 암세포를 사멸시킨다. 현재 항암 백신은 백혈병 또는 림프종, 골수종 치료에 기여할 것으로 전망된다. 최근까지 암 치료 백신으로 임상 실험이 활발히 진행 중이다. 그러나 앞으로는 암 예방용 백신을 위한 연구개발이 활발히 진행될 것으로 전망된다.

처음 시판된 항암 백신은 전립선 암 치료 백신인 2010년 발리안트의 프로벤지이다. 미국 메디케어 내에서 가장 비싼 항암제로 등록되어 있고 약 1억7천 달러(약 2,000억 원)의 수익을 내고 있다. 이후 자궁경부암 예방백신으로 MSD의 가다실과 GSK의 세바릭스가 시판되었다. 2015년 가다실은 블록버스터 매출을 기록했고, 2016년 3분기 매출은 8억 6천달러(약 1조 2000억 원)으로 전년도에 비해 38% 증가했다. 세바릭스의 2016년도 3분기 매출은 약 346억 원이다.
2014년에 MSD의 가다실의 부작용이 화제가 되면서 시장 점유율이 낮아졌지만 MSD가 가다

42) 데일리팜 '코로나 여파 프리미엄 백신시장 뚝 자궁경부암 상승'

실9를 발매한 뒤 다시 시장 점유율을 높여 나가고 있다. 2016년에 미국 GSK는 미국 내 서바릭스의 수요가 떨어져 공급을 중단을 하기로 했다. 이는 중국의 국가 필수예방접종으로 수요가 많아져 미국 내 공급보다 해외 공급을 우선한 것이라고 미국 GSK 관계자는 설명했다.
국내에서 자궁경부암 백신중 가다실과 세바릭스가 2016년에 국가필수예방접종으로 지정되었다. 12세 여자 청소년 대상이며 2019년 현재 해당 연령의 접종률은 63.6%인 것으로 나타났다. 그러나 2016년도 HPV 6, 11, 16, 18, 31, 33, 45, 52, 58형을 예방하는 가다실9이 출시되었다. 2021년도 자궁경부암 백신 시장 규모는 957억 원으로 전년 662억 원 대비 44.7% 증가했다. 자궁경부암 백신은 MSD의 가다실과 가다실9, GSK의 서바릭스 3개 제품이 있다. 이 중 가다실9 매출이 급증하며 시장 확대를 견인했다.

가다실9 매출은 지난해 726억원으로 전년도 425억원보다 70.9%나 증가했다. 2020년 7월부터 접종권고연령이 9~26세 여성에서 27~45세 여성까지 확대된 데다 지난해 4월부터는 공급가격도 15% 오르면서 매출이 크게 늘어난 것으로 분석된다. 자궁경부암 외 항문암, 생식기사마귀, 전암성 병변 등 HPV 관련 질환을 예방할 수 있다는 사실이 알려지며 남성 접종 건수도 늘고 있다.

반면 서바릭스는 지난해 매출이 18억원에 그쳤다. 전년도 33억원보다 44.7% 감소했다. 서바릭스는 자궁경부암을 유발하는 인유두종바이러스(HPV) 혈청형 중 2개(16·18형)를 예방하는 2가 백신이다. 타 제품에 비해 예방 범위가 좁아 상대적으로 선호도가 떨어진다. 2017년 66억원이었던 서바릭스 매출액은 2018년 47억원, 2019년 44억원으로 매해 감소했다. 가다실은 213억원으로 전년 대비 4.5% 증가에 그쳤다.

자궁경부암 시장은 가다실9의 과점 구조로 정착되고 있다. 지난해 가다실9의 시장 점유율은 75.8%에 달했다. 전년도 64.2%보다 11.6%p 증가했다. 다음으로 가다실이 22.3%를 차지하고 있으며, 서바릭스 점유율은 1.9%에 불과했다.

가다실9는 HPV 혈청형 중 9개를 예방한다. 가다실이 보유한 4가지 혈청형(6·11·16·18형)에 5가지 혈청형(31, 33, 45, 52, 58)을 추가한 제품이다. 자궁경부암 백신 중 가장 많은 HPV 유형을 포함하고 있어 수요가 높다. 국가필수예방접종사업(NIP) 대상에 포함되는 가다실, 서바릭스는 주로 무료 접종 대상자(만 12세 여성청소년)가 맞고, 그 외 연령은 비급여로 가다실9를 선택하는 추세다.

올해는 가다실9의 위상이 더욱 공고해질 가능성이 높아졌다. 윤석열 대통령 당선인이 생활밀착형 공약으로 가다실9의 보험 확대를 약속한 까닭이다. 윤 당선인이 제안한 공약은 NIP 대상에 가다실9를 포함하고, 대상 연령도 여성 9~45세, 남성 9~26세로 대폭 확대하는 방안이다. 취임 후 공약이 현실화되면, 가다실9 선호도가 더욱 높아질 것으로 예상된다.

▷ 로타바이러스백신 시장

로타바이러스백신은 GSK의 로타릭스와 MSD의 로타텍이 있다. 로타바이러스 백신 시장은 연평균 9.7% 성장하고 있다. 세계 판매량 1위는 로타릭스이며 전체 73%를 점유하고 있다. 국내에서는 로타텍이 1위를 차지하고 있다.

국내 SK케미칼은 국제 비영리단체 PATH와 함께 소아 장염을 유발하는 로타바이러스 예방백신을 공동 개발하여 저개발국가에 공급하기로 계약을 체결했다. 따라서 SK케미칼은 안동 백신공장 L하우스에서 공정개발과 임상시료 생산을 진행하며 최종 허가완료 후 상업생산도 담당할 예정이다.

▷ 대상포진백신 시장

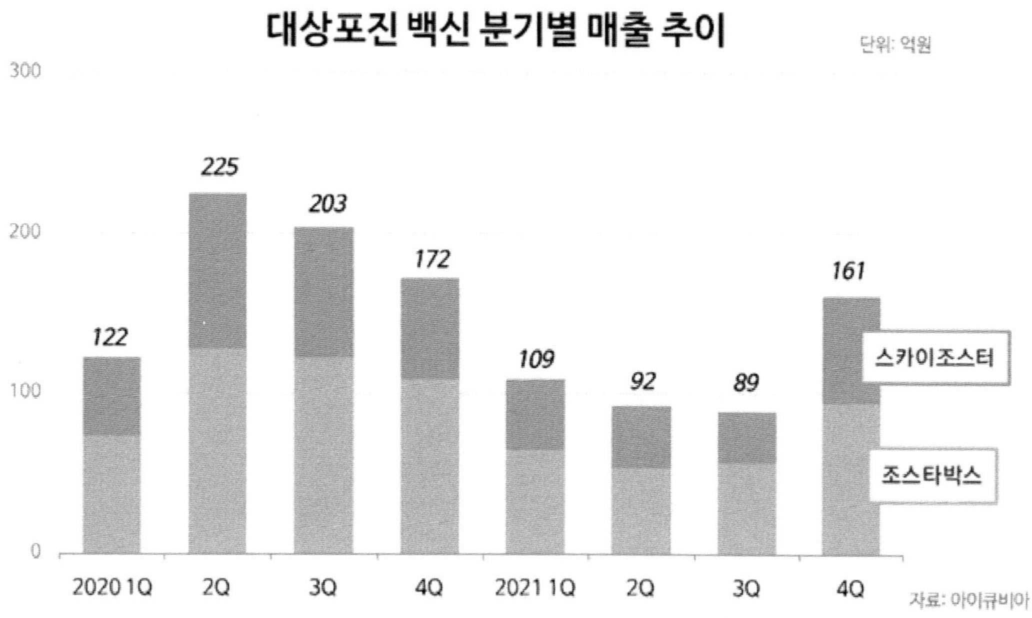

그림 30 대상포진 백신시장 분기별 매출

의약품 조사기관 아이큐비아에 따르면 2021년 대상포진 예방 백신 시장 규모는 451억원으로 전년 723억원 대비 37.6% 감소했다.

국내 대상포진 백신 시장은 MSD의 조스타박스와 SK바이오사이언스의 스카이조스터 두 개 제품이 약 6대 4 비율로 양분하고 있다. 지난해 두 제품은 나란히 매출이 하락했다. 조스타박스는 2020년 432억원에서 270억원으로 37.6% 감소했다. 같은 기간 스카이조스터도 291억원에서 182억원으로 37.7% 줄었다. 두 제품의 동반 하락은 전반적인 대상포진 백신 접종률이 크게 떨어졌음을 의미한다.

대상포진 백신 시장의 축소는 코로나19 발발 시기와 맞물린다. 코로나19가 국내 확산되던

2020년 1분기 대상포진 백신 시장 규모는 122억원으로 전년 동기 대비 37.8% 하락했다. 2분기 225억원으로 매출이 잠깐 늘었다가 3분기부터 다시 감소세를 보였다. 4분기에는 전년 대비 38% 감소한 173억원을 기록했다.

코로나19 백신 접종이 시작된 지난해 2분기에는 시장 규모가 100억원 아래로 떨어졌다. 전년 동기보다 절반 이상 줄어들었다. 지난해 2분기 92억원, 3분기 89억원을 기록했던 대상포진 백신 시장은 4분기 161억원으로 회복세로 돌아섰지만, 여전히 코로나19 이전인 200억원대에 못 미치는 수준이다. 코로나19 백신을 우선 접종하려는 경향이 지속되면서 대상포진 등 다른 백신 제품들이 상대적으로 외면받았다는 분석이 나온다.

올해 대상포진 시장은 반등의 기회가 엿보인다. 새 대상포진 백신인 GSK의 싱그릭스가 하반기 발매될 예정이기 때문이다. 싱그릭스 등장으로 기존 두 제품의 매출이 더 떨어질 가능성이 있지만, 전반적인 시장 규모는 커질 것으로 전망된다.

싱그릭스는 임상에서 강력한 대상포진 예방 효과로 주목을 받았다. 50세 이상 성인을 대상으로 한 임상시험(ZOE-50) 결과 3.2년 추적관찰에서 97.2%의 방어율을 입증했고, 70세 이상(ZOE-70)에서는 3.7년 추적관찰 결과 89.8% 효능을 보였다. 조스타박스가 50세 이상 환자에서 5%, 70세 이상에서 41% 방어율을 보인 것과 비교하면 월등한 효과다. 스카이조스터도 조스타박스와 유사한 수준이다.

여기에 코로나19가 잠잠해지면 다시 접종 환자가 늘어날 것이란 기대감도 커지고 있다.[43)]

43) 데일리팜 '코로나 여파 프리미엄 백신시장 뚝 자궁경부암 상승'

5) 독감백신시장

매년 인플루엔자로 전 세계 인구의 5~15%가 감염되며 약 10억 명 환자가 발생하고 있다. 이 중 약 3~5백만 명의 중증환자가 발생하며, 약 25~50만 명이 사망하게 된다. 이 중 주로 65세 이상의 노인, 만성질환자, 임신부 및 2세미만 영유아에게 중증 및 사망이 발생한다.
인플루엔자 발생 시기는 지역마다 다르다. 보통 북반구는 11월과 익년 4월 사이, 남반구는 4월과 10월 사이에 유행하고 열대 지방 국가들은 연중 발생하고 있다.

4가 독감백신은 한 번의 접종으로 4개 종류(A/H1N1, A/H3N2, B/Victoria, B/Yamagata)의 독감 바이러스를 예방할 수 있는 제품으로, 3가 독감백신(A/H1N1, A/H3N2, B/Victoria 또는 B/Yamagata)보다 예방 범위가 더욱 넓다. 현재 세계보건기구(WHO)도 독감 바이러스 변이로 인한 대유행에 대비하기 위해 3가보다는 4가 백신 접종을 권장하고 있다.

4가 독감백신은 지난 2020년 코로나19 본격화와 함께 독감이 함께 유행하는 트윈데믹 우려에 따라 매출이 크게 늘었지만, 반짝 특수에 그친 모양새다.

의약품시장조사기관 아이큐비아 기준 4가 독감백신은 2021년 1600억 원가량으로 2000억 원을 넘어선 전년도 대비 25% 이상 감소했다. 4가 독감백신 매출은 지난 2020년 전년도 500여억 원 대비 4배가량 늘어난바 있다.

4가 독감백신 가운데선 GC녹십자 '지씨플루쿼드리밸런트'가 1위 자리를 지키고 있다. 2021년 지씨플루는 559억 원 매출로 전년도(515억 원)보다 8.4% 매출이 증가했다.

일양약품 '테라텍트'와 보령바이오파마 '플루V테트라'도 각각 204억 원(전년비 17.3%↑), 186억 원(66.4%↑)으로 비교적 높은 성장세를 유지했다. 특히 한국백신 '코박스플루 4가'는 같은 기간 39억 원에서 133억 원으로 매출이 급증했다. 한국백신 또 다른 4가 백신 '코박스인플루 4가'도 37억 원에서 89억 원으로 매출이 뛰었다.

같은 기간 사노피파스퇴르 '박씨그리프테트라'는 127억 원에서 130억 원으로 소폭 매출이 상승한 것으로 나타났다.

반면 국내에서 가장 먼저 출시한 GSK '플루아릭스테트라'는 136억 원에서 51억 원으로 아이큐비아 기준 60% 이상 매출이 떨어졌다. 보령바이오파마 플루VII테트라도 이 기간 268억원에서 160억 원으로 40% 이상 매출이 감소한 것으로 나타났다.[44]

---

44) 프레스나인 '4가 독감백신 시장 감소세 코로나 반짝 특수 그쳐'

다. 중국 백신 시장[45)46)47)]

1) 중국 백신 시장 규모

▷ 중국 백신 분류

중국 백신은 1류 백신과 2류 백신으로 나뉜다. 1류 백신이란 국가 무료 예방 접종으로 국민에게 무료로 제공하며 모든 국민이 의무로 접종해야 하는 백신을 의미한다. 2류 백신이란 개인의 사비로 접종받는 백신을 의미한다.

중국의 백신 시장은 크게 2개 시장으로 분류

구분	1류 백신 시장	2류 백신 시장
비용 지불	정부 비용 부담	수요자 비용 부담
관리감독 방식	의무 접종	자원 접종
정가 방식	발개위(NDRC)에서 정가 결정했었으나 2015년 6월 1일부로 정부 정가 폐지	시장 결정
매입 방식	국가 재정 예산 통해 입찰/매입	성급 정부 플랫폼 통해 입찰
이윤 수준	낮은 이윤	높은 이윤
시장 상황	독과점 시장	비교적 높은 수준의 경쟁
백신 종류	DPT, B형 간염, 결핵(BCG) 백신, 폴리오바이러스 백신, 홍역, A형 간염, A군 유행성 뇌척수막염, A+C군 유행성 뇌척수막염, B형 유핵성 뇌염, MMR(홍역, 유행성이하선염, 풍진), 출혈성열 백신, 렙토스피라 백신	1류 백신 이외

자료: 헝다연구원, 이베스트투자증권 리서치센터

그림 27 1류 백신과 2류 백신 비교

▷ 중국 백신 시장

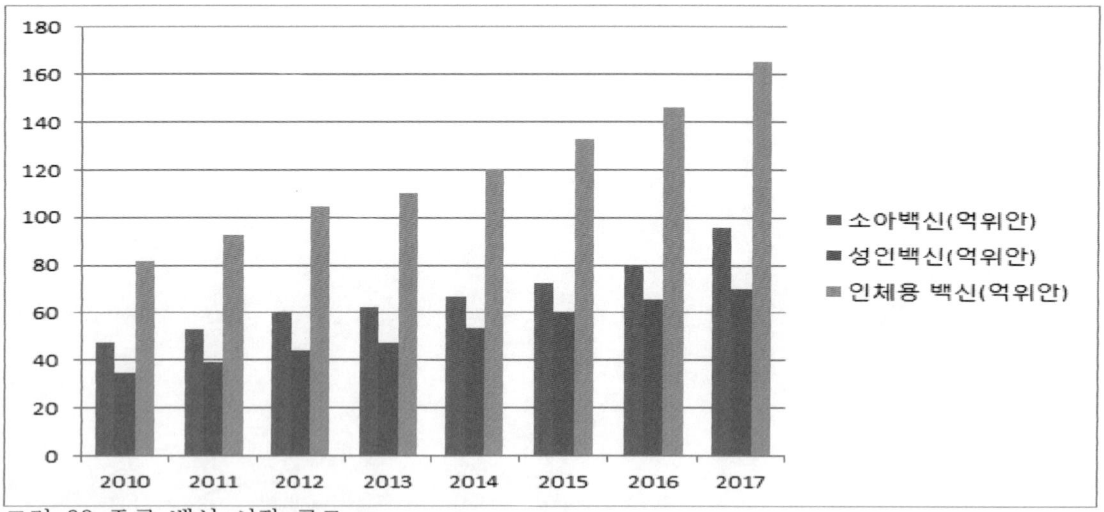

그림 28 중국 백신 시장 규모

45) 중국이슈트래커, 불량 백신 사태, 위기의 제약/바이오, 이베스트투자증권 리서치센터
46) kotra 해외시장뉴스, '가짜 백신사태'로 본 중국 백신시장 현황 및 수혜산업, 김규진 중국 항저우무역관
47) 중국 백신시장 분석과 비급여 백신 시장의 급성장에 따른 기회, 제약산업정보포털, 한국보건산업진흥원, 평타오

중국 백신 시장 규모	2010	2011	2012	2013	2014	2015	2016	2017
소아백신 (억 위안)	47.2	53.4	60.2	62.8	67	72.5	80.2	95.5
성인백신 (억 위안)	34.8	39.2	44.4	47.2	53.5	60.2	65.8	70.2
인체용 백신 (억 위안)	82	92.6	104.6	110	120.5	132.7	146	165.7

표 4 중국 백신 시장 규모

2010년부터 인체용 백신 시장은 꾸준히 증가하고 있으며, 소아백신이나 성인백신 모두 2010년에 비해 두 배 이상 증가하는 추세이다. 특히 소아백신의 경우 가파른 성장세를 보이고 있으며 향후 이와 같은 경향은 계속 될 것으로 여겨진다.

현재 1류 백신은 중국의 기업 6곳이 생산 및 공급하고 있으며 국유기업이 전체 1류 백신 시장을 주도한다. 그러나 국가면역규획의 범위가 확대됨에 따라 2류 백신이 1류 백신 시장에 진입할 것으로 보이며 더 많은 민영기업이 1류 백신 시장에 진출할 것으로 예상된다. 향후 외자기업도 중국의 1류 백신 시장에 진출할 것으로 예측된다. 이미 2007년에 실시된 '외상투자산업에 대한 가이드목록'에 따라 BCG백신과 소아마비백신이 외상투자산업 독려 목록에 등재되었다. 따라서 국유기업의 독점했던 중국의 1류 백신 시장은 더욱 확대될 전망이다.

백신 유통과 예방접종 관리 조례' 실시로 2류 백신을 취급할 수 있는 자격이 확대됨에 따라 백신 시장이 공정한 경쟁 시장으로 변화되고 있다. 따라서 현재 2류 백신 시장은 국유기업, 외자기업, 민영기업이 경쟁하는 3자 구도가 형성되었다. 외자기업은 막대한 자본과 R&D 능력, 품질관리 능력으로 중국 내에 자사의 대행업체 설립하여 중국백신시장에 진출했다. 최근 CFDA가 화이자의 13가 폐렴구균다당혼합백신, MSD의 4가 인유두종바이러스 백신의 가다실과 가다실9가, GSK의 2가 백신 서바릭스가 승인받았다. 중국의 기업도 신약에 대한 R&D를 투자하여 역량을 강화하고 지역 마케팅 등을 무기로 시장 경쟁력을 키우고 있다. 지난 2018년 8월 CFDA는 Minhai Biotechnology의 23가 폐렴구균다당백신을 승인하는 등 여러 백신들의 출시가 잇따르고 있다.

의약품 전문 데이터 업체인 Menet에 따르면 2017년 중점도시 공립병원에서의 백신 비용이 약 1억 6300만 위안으로 전년 대비 8.20% 증가했다. 그 중 인간용 광견병백신, 수두백신, 녹농균, BCG백신, 재조합 B형간염백신이 전체의 90%를 차지하고 있다.

그림9 전체 시장에서 1류 백신은 약 70% 수준

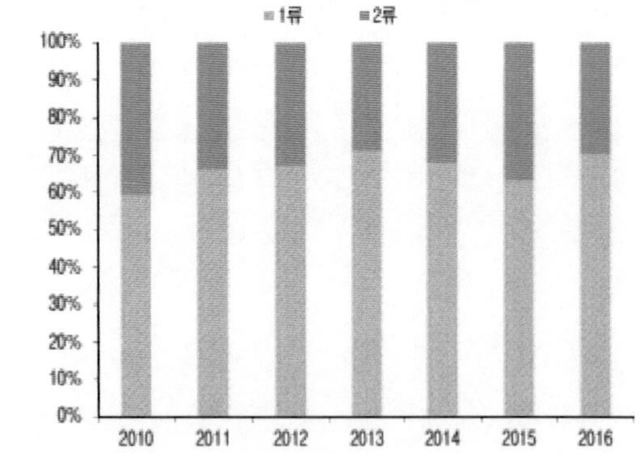

자료: NIFDC, 이베스트투자증권 리서치센터

그림10 제품 중, 해외 브랜드는 3% 미만 수준

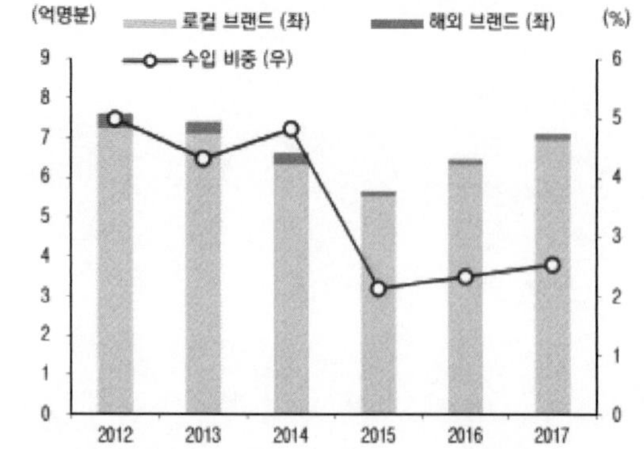

자료: NIFDC, 이베스트투자증권 리서치센터

그림11 1류 백신은 국유기업이 주도

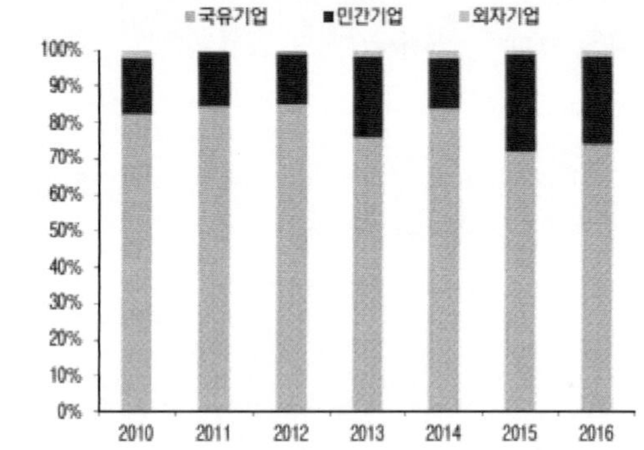

자료: NIFDC, 이베스트투자증권 리서치센터

그림12 2류 백신 분야는 중국 민간기업들이 주도

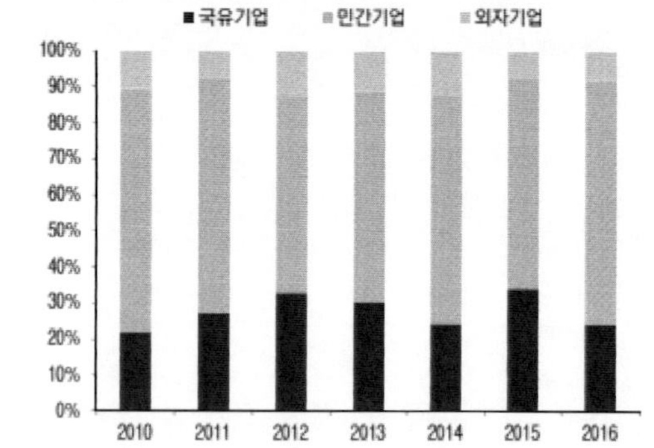

자료: NIFDC, 이베스트투자증권 리서치센터

그림 29 중국 백신 시장

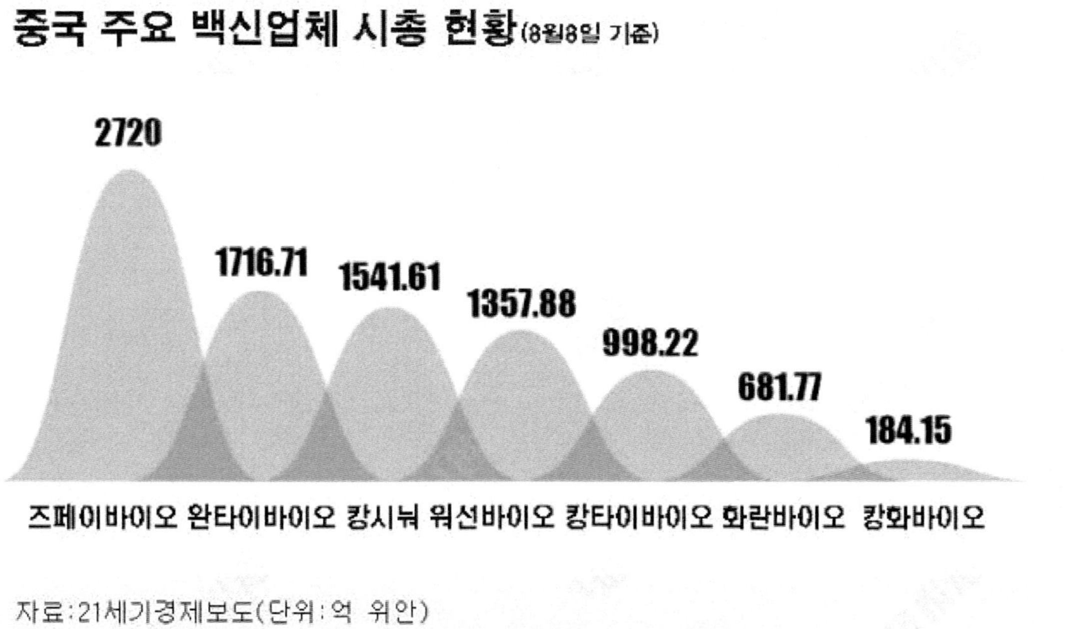

그림 35 2021년 8월8일 기준 중국 주요백신업체 현황

신종 코로나바이러스 감염증(코로나19) 사태로 인해 중국을 포함한 세계 각국 제약업체의 백신 개발부터 임상시험, 출시, 접종까지 유례가 없을 정도로 신속히 이뤄졌다.

특히 중국 백신 업체들은 국가의 강력한 지원 아래 더 빠른 발전을 거뒀다는 게 업계 중론이다. 중국 식품약품검정연구원(중검원)이 공개한 '2020년 백신 업계 승인 데이터'에 따르면 2020년 승인 백신 기준 업계 규모는 660억 위안(약 11조8000억원)으로, 2019년 425억 위안에서 무려 245억 위안이나 급증했다.

업계 경쟁도 치열해졌다. 중국 21세기경제보도에 따르면 중국 본토증시(A주)에 상장된 백신업체 중 시가총액(시총) 기준 1위에 해당하는 업체는 즈페이바이오(智飛生物)다. 즈페이바이오 시총은 2021년 8월 8일 종가 기준 2720억 위안으로, 중국 백신업계에서 시총이 유일하게 2000억 위안이 넘는다.

즈페이바이오는 2020년 전년 동기 대비 43.48% 증가한 151억 위안의 매출을 달성한 후 이 성장세를 올해도 이어가고 있다. 2021년 1분기 매출은 39억2700만 위안으로, 성장률은 50%에 육박했다.

즈페이바이오에 이은 업계 2위는 1716억7100만 위안 시총을 기록한 완타이바이오(萬泰生物)다. 완타이바이오 역시 2020년에 유독 빠른 성장을 이뤘는데, 2020년 매출은 전년 동기 대비 98.8% 급증한 23억5400만 위안이다. 자궁경부암 백신 출시와 코로나19 진단키트 개발 및 출시가 완타이의 성장 동력이 됐다는 분석이다.

시총 3~5위에 이름을 올린 업체는 각각 캉시눠(캔시노), 워선바이오, 캉타이바이오다. 이들 업체의 시총은 각각 1541억6100만, 1357억8800만, 998억2200만 위안이다.[48]

48) 아주경제 '코로나로 급성장한 백신 시장 업계 1위는 어디?'

2) 중국 백신 수출입 동향

[표] 중국 백신 수출입 현황

단위 : 천 불(USD 1,000),톤(TON)

기간	품목명	수출중량	수출금액	수입중량	수입금액	무역수지
2015	백신(인체의약용)	1.5	310	0.1	550	-240
2016	백신(인체의약용)	1.9	99	5.2	4,835	-4,736
2017	백신(인체의약용)	0.1	339	3.6	4,325	-3,986
2018	백신(인체의약용)	0.1	327	6.7	3,846	-3,519
2019	백신(인체의약용)	0	0	1.8	1,245	-1,245
	총계	3.5	1,076	17.2	14,801	-13,725

*출처: 관세청 수출입통계

그림 36 중국백신 수출입 현황

2015년부터 2019년까지 5년간 중국과의 백신의 수출입 현황을 비교한 결과, 수입금액이 수출금액보다 14배 많은 것으로 밝혀졌다. 최근 백신으로 인한 사망사고가 문제화됨에 따라 중국산 백신에 대한 안전성 검토를 강화할 필요성이 제기되고 있다.

국민의 힘 구자근 의원이 관세청의 수출입통계 자료를 분석한 결과 최근 2015년~2019년 중국으로 수출한 백신 물량은 3.5톤에 금액으로는 107만6천불(12억원)인데 비해, 수입은 17.2톤 1480만1천불(167억 원)으로 14배 가량 높은 것으로 나타났다.

우리나라의 원료약의 자급도는 2018년 기준 26.4%에 불과하다. 원료약의 경우 상당부분은 인건비가 저렴한 중국, 인도 등에서 수입하고 있는데 2018년 기준 원료약의 33%를 중국에서, 9.5%를 인도에서 수입하고 있는 것으로 알려져 있다.

백신(인체의약용 한정, HS코드 3002200000)의 경우에도 중국을 상대로 한 수출은 2015년 1.5톤, 2016년 1.9톤, 2017년 0.1톤, 2018년 0.1톤이 이어 지난해인 2019년에는 수출물량이 전혀 없었다. 2015~2019년까지의 중국 백신 수출 물량은 총 3.5톤에 금액으로 107만6천불(12억 원)에 불과했다.

반면 백신 수입물량은 2015년 0.1톤, 2016년 5.2톤, 2017년 3.6톤, 2018년 6.7톤, 2019년 1.8톤을 기록해 총 5년간 총수입은 17.2톤에 1480만1천불(167억 원)에 달했다.

독감백신을 공급하는 회사는 국내 8개사, 해외 2개사로 총 10개사에 달하는데, 이 중에서 5개사가 백신 원액을 받아 생산하고 있다.[49]

3) 중국 백신 유통 구조

중국 의약품등록관리방법에 따르면 수입 백신의 경우 수입 전에 3상에 걸친 임상시험을 해야

49) 데일리메디팜 '최근5년간 中백신 수입물량17.2톤 167억 원어치 수출 14배↑'

한다. 이외에 1~5년간의 의약품 전문 심사기간을 거쳐야 유통이 가능하다. 2018년 7월을 기준으로 CFDA는 중국의 신약 임상시험 신청 심사기간을 평균 200일에서 60일로 단축했다. 그럼에도 불고하고 여전히 임상 소요 기간이 길기 때문에 해외 백신 제품이 중국시장에 유통되기 까지 높은 장벽이 존재한다.

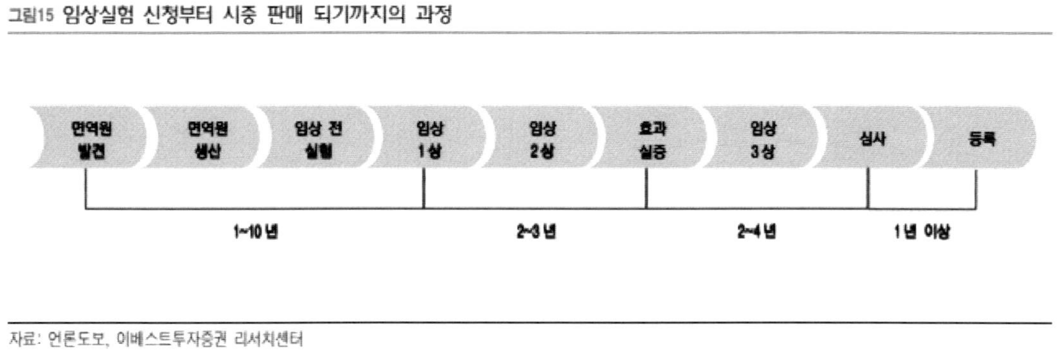

그림 31 중국 백신 승인 과정

그림 32 각국의 임상기간 비교

이미 유통 중인 수입 의약품도 5년마다 갱신되는 중국약전의 조건에 부합하지 않으면 판매가 중지된다. 이후 다시 판매하려면 기준에 맞춰 재 승인을 받아야하는 까다로운 절차가 존재한다. 중국의 이코노미 잡지 재경에 의하면 수입 백신 제한 초지를 중국 국내 백신 연구의 개발 시간을 벌어주기 위한 정책이라고 분석했다.

▷ 더딘 수입 백신의 유통 예

2006년에 미국에서 출시된 자궁경부암 백신은 전 세계 100여개의 국가에서 승인되어 사용되었다. 그러나 중국의 경우 10년의 연기 끝에 2017년도에 비로소 승인되었다.

2015년 화이자의 폐렴 백신은 중국 내 유일한 폐렴 백신이었다. 그러나 연장 거절을 받고 철수해 대체품이 없어 큰 혼란을 야기했다. 그럼에도 불구하고 중국 정부는 현재까지 폐렴 백신 유통 승인 연장에 대한 거절의 이유를 밝히고 있지 않다.

중국 국가약품감독관리국(NMPA)은 '생물학적제제의 출하승인관리방법'을 2020년 12월에 개정하여 2021년 3월 1일부터 시행했다. 출하승인관리방법 개정은 개정된 '의약품관리법'과 새롭게 제정된 '백신관리법'의 요건을 반영하고 생물의약품의 안전성과 유효성을 보장하기 위함이다. 그리고 출하승인 절차를 표준화, 출하승인에 관한 책임 명확화, 출하승인 위험관리 종합적 강화 관련 법규 위반에 관한 제재를 포함한다.[50]

중국은 2021년 시노백·시노팜 등 자체 백신을 개발하며, 화이자·모더나 등 외국 백신을 도입하지 않았다. 중국 백신은 바이러스를 비 활성화시켜 인체에 주입해 항체를 만드는 전통적 방식으로 제작됐다. 싸고 보관·유통이 쉽지만, 메신저 리보핵산(mRNA)을 이용하는 화이자·모더나 백신보다 효과는 떨어진다. 세계보건기구(WHO) 자료를 보면, 화이자 백신은 코로나19 감염을 95% 예방하지만 시노백 백신은 51% 예방하는 데 그친다. 오미크론 변이에도 약하며, 홍콩대학이 공개한 연구 결과를 보면, 화이자 백신 접종자 25명 가운데 5명이 오미크론을 막아냈지만, 시노백 백신 접종자 25명은 전원이 속수무책이었다.[51]

---

50) 식약처 '2021 상반기 백신산업최신동향집' p22
51) 한겨레 '오미크론에 초강력 봉쇄 중국은 제로 코로나 왜 포기 못하나'

4) 중국 백신 주요 시장

▷ 독감백신 시장

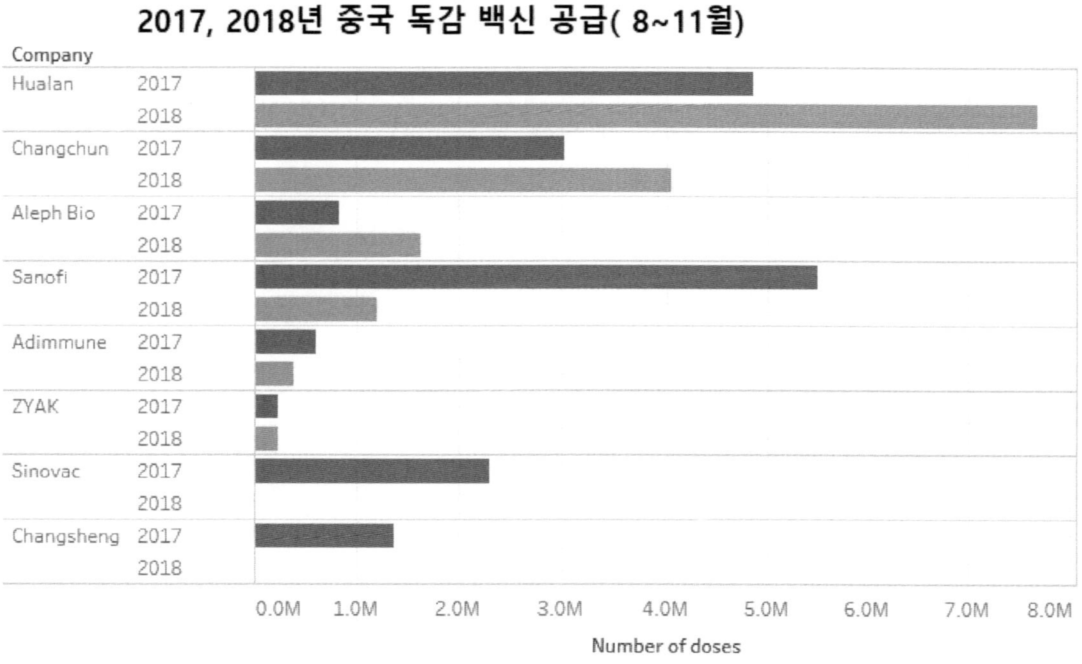

그림 33 중국 독감 백신 공급량
52)

Menet의 자료를 토대로 2017년 공립병원의 유행병 분할백신 비용이 전년 2016년보다 30.68% 증가했다. 그러나 2018년 중국 시장에서 검사 결과 출하가 허과된 독감 백신의 수는 약 1520만 도스를 기록했고 이는 전년도에 비해 20% 감소했다. 그 이유는 중국에서 여러 가지의 국내 외 요인으로 인해 백신 공급이 감소되었기 때문이다. 사노피사의 경우 2017년도에 백신 공급량이 550만 도스로 가장 높은 시장점유율을 지녔다. 그러나 박시그리프의 15개 배치에서 효과 저하가 발견되어 2018년에는 120만 도스만 내놓아 타격이 클 것으로 예상된다. 창춘 창성 생명과학도 2017년도에 140만 도스의 백신을 공급했지만 가짜 백신 사태로 회사가 사라지면서 백신 생산이 완전 중단되었다. 여러 회사들의 공급 감소에서 불구하고 화란 바이오는 전년도에 비해 최대 250만 도스를 추가적으로 공급했다.

아직까지 중국의 독감 백신 접종률은 미국에 비해 40~60% 수준이다. 그 이유는 대도시의 노인과 영유아를 제외하곤 대부분 비급여로 돈을 직접 내고 맞아야 하기 때문이다. 현재 중국은 노인을 대상으로 무료 예방접종을 실시하고 있는데 앞으로도 예방접종 관련 금액이 줄지 않을 것으로 전망된다. 뿐만 아니라 비급여 예방접종까지 하는 노인이 증가할 것으로 추정된다. 최근 들어 중국 국민들 자체적으로 독감의 심각성에 대한 인식이 높고 가짜 백신사태로 인해 백신의 안전성에 대한 인식이 화대되면서 앞으로의 중국 독감 백신 시장은 더욱 성장할 것이라고 예상된다.

52) 의학신문, 中 올 독감 백신 공급 큰폭 감소, 김자연, 2018.12.07

▷ 폐렴구균백신 시장

Menet에 자료에 따르면 2017년 공립병원의 23가 폐렴구균다당백신 매출은 72만 위안으로 전년보다 178.02% 증가했다. 또한 한 다국적기업의 2017년 폐렴구균다당백신 매출은 75억 5,100만 위안으로 전년대비 1.53% 증가했다. 이는 2008년의 31억 2,600만 위안과 비교해서 약 2배가 증가했다. 중 MDS의 뉴모백스(Pneumovax)가 53.01%, Chengdu Institute of Biology(成都生物所)의 23가폐렴구균다당백신이 42.8%, 사노피 파스퇴르(sanofi Pasteur)의 뉴모(Pneumo) 23이 2.95%, walvax(玉溪沃森生物)가 1.17%를 차지했다. 2018년 중국의 국가약검국(CFDA)이 Biomimhai(北京民海生物科技)의 폐렴구균다당백신을 승인한 결과 Chengdu Institute of Biology, Walvax의 23가폐렴구균다당백신과 함께 중국 제품의 경쟁구도를 형성하고 있다.

▷ B형간염 백신 시장

Chinese Medical Association의 2015년 만성B형간염방지지침에 따르면 세계인의 약 33%가 B형간염 바이러스에 감염되었고 그 중 HBV 감염자는 2억 4000만 명이며, 매년 65만 명이 HBV 감염에 따른 간 질환으로 사망한다고 밝혔다.

중국의 만성B형간염 감염자는 약 9,300만 명이 달하며, 그 중 2,000만 명이 만성B형간염환자이고 연간 최대 300~500억 위안을 치료비로 사용하고 있다.

Menet의 2017년 중국 공립병원의 B형간염 백신의 연간 매출액은 742만 위안이다. 시장 점유율은 hissen(大连汉信)이 34.48%, GSK가 32.58%, BioTaiKang(深圳康泰)이 16.76%, NCPC Genetech(华北金坦) 13.94%, Beijing Bio-Institute Biological Product(北京北生生)가 2.13%, Hualan Bio(华兰生物) 가 0.11% 순으로 나타났다.

세계보건기구 WHO는 B형간염백신을 접종 시 접종자의 95% 이상이 HBV 면역을 평생 보유한다고 밝혔다. 중국의 증가하는 인구수로 인해 B형간염백신 시장은 더욱 확대되어질 것으로 전망된다.

▷ 광견병 백신시장

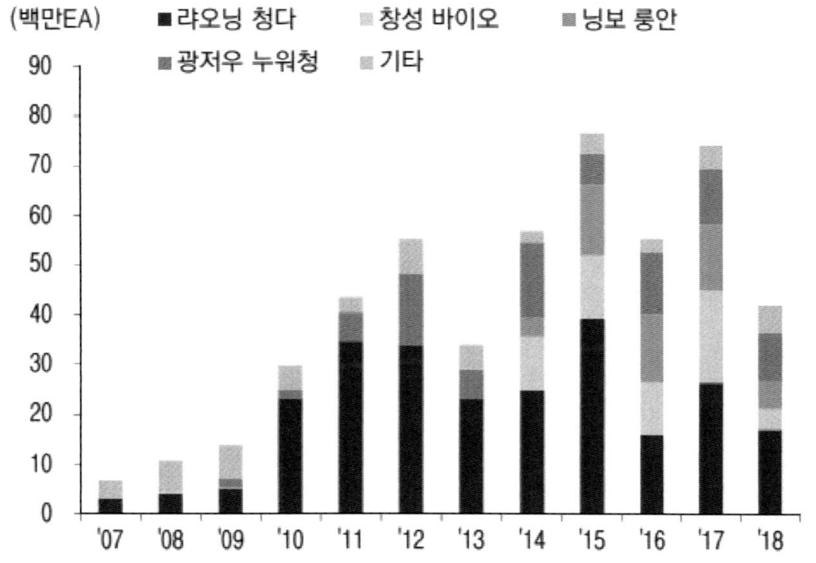

자료: NIFDC, 이베스트투자증권 리서치센터

그림 34 광견병 백신 시장 점유율

지난 10년간 주요 공립병원에서 인간 광견병 백신이 매출은 1위였다. 중국의 의약품 전문 경제 정보사이트 Menet에 의하면 2017년 공립병원의 인간 광견병 백신 매출은 7,072만 위안으로 전년보다 43.04% 증가했다고 밝혔다. 랴오닝 청다사와 창성 바이오테크놀로지, 닝보룽안, 광저우 누워청이 전체 광견병 시장을 독점하는 구조이다. 그러나 2018년 창성 바이오테크놀로지의 광견병 백신 50만개가 엉터리 백신이 알려지면서 백신의 생산 및 유통이 금지되었다. 따라서 앞으로 랴오닝 청다, 닝보룽안, 광저우 누워청의 3사가 시장을 점유할 것으로 전망된다. 그러나 중국 국립병원의 광견병 백신 시장의 데이터는 중국 광견병 백신 시장의 전부를 보여주지 못한다. 일반 도시의 중소병원, 위생방역과, 사실 전체 시장에서 빙산의 일각에 불과하다. 도시의 중형병원의 보건과, 위생방역과, 현(县)급 병원, 농촌의 위생원(卫生院)이 전체에서 큰 부분을 차지하여 전체 시장 규모는 약 백억 위안 규모로 추정된다.

▷ 향후 전망

중국 사회의 발전과 대중의 백신에 대한 인식이 변화함에 따라 2류 백신 시장이 더욱 커질 것으로 예상된다. 중국 백신 기업이 약 30여 곳에 불과하여 경쟁이 치열하지 않다. 또한 백신에 대한 많은 수요와 시장의 성장성, 수익성을 고려한다면 시장의 잠재력이 무궁무진하다.

세계적으로 유행하고 있는 13가 폐렴구균다당혼합백신, 대상포진 백신, 5가 재조합로타 바이러스약독화백신(Vero cell), HPV 9가 백신 등이 향후 중국의 백신 시장을 지배할 것으로 전망된다. 이러한 중국 시장은 한국의 백신회사에게 큰 기회가 될 것이다. 그 이유는 같은 제품을 생산하는 기업이 존재하더라도 중국의 시장이 넓기 때문에 여전히 수익을 창출할 수 있기 때문이다.

5) 최신 이슈

▷ 가짜 백신 사태

지난 2017년 12월 중국 후베이성 언스시의 한 병원에서 문제가 되는 수두 백신을 맞은 1살의 소아가 접종 3일 만에 사망했다. 접종 후 갑작스러운 고열과 경련을 일으키다가 사망했다. 부검 결과 사인은 폐렴과 장염으로 인한 급성 호흡 순환기 장애로 백신접종과는 무관하다는 소견이 나왔다. 보호자는 당국에 조사를 요구했지만 묵살되었고 병원 측은 백신을 모두 소각했다. 7개월 이후 백신 스캔들이 터지면서 시진핑 주석까지 나서서 철저한 조사를 지시했다. 조사 결과 중국 2위 제약회사 창성(長生)바이오테크놀로지와 우한(武漢)생물제품연구소 등이 기준에 미달하는 품질의 DPT(디프테리아·백일해·파상풍) 백신과 광견병 백신을 대량 판매해온 사실이 드러난 것이다. 우한(武漢)생물제품연구소의 불량 DPT백신은 허베이 성, 충칭(重慶)시에 40만 개나 판매됐고, 허베이 성에선 약 14만 명의 어린이가 불량 백신을 접종받은 것으로 드러났다. 창성(長生)바이오테크놀로지의 불량 DPT백신은 약 25만 개가 판매되었으며 산둥성에서만 21만 5184명이 접종했다.

그러나 가짜 백신들이 수년 전부터 유통돼왔기 때문에 숨진 영·유아가 어느 정도인지 조차 정확히 알 수 없다. 국가약품감독관리관리국은 창성바이오가 인체용 광견병 백신 '베로 셀(Vero-cell)' 생산 기록을 조작하는 등 의약품 제조품질관리기준(GMP)을 위반했다고 밝혔고, 광견병 백신 제조와 관련한 GMP 인증을 즉시 취소했고, 제품의 생산 및 판매를 금지했다.

백신 문제가 발발하면서 기존 백신 시장 주요 기업들에 대해 국민들이 신뢰를 잃어가고 있으며 입지가 흔들리고 있다. 또한 문제를 일으킨 중국 최대 제약사 창성바이오가 상장 폐지 위기에 처하면서 백신 시장 판도에 대규모 지각 변동이 예측되어진다.

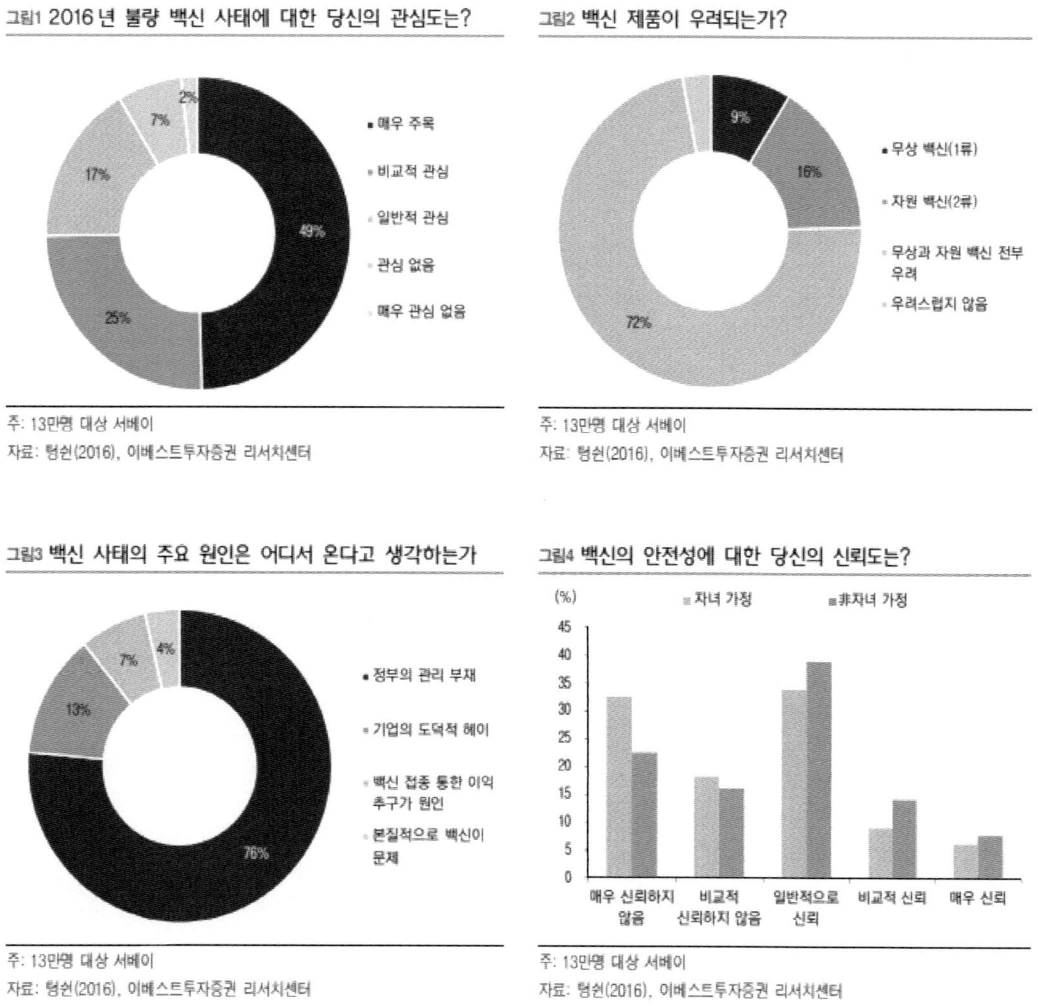

그림 35 가짜 백신 사태에 대한 조사

▷ 의료 여행 패키지

최근 중국 사회를 뒤흔든 불량 백신 사태로 자국 백신에 대한 불신이 커지면서 수입 백신을 선호하거나 해외에서 예방접종 시키려는 중국 부모가 증가하고 있다.

백신 접종과 관련된 의료 여행의 성장률은 250% 이상에 달하고 있다. 뿐만 아니라 의료와 여행을 혼합한 실속 있는 여행 상품이 계속해서 인기를 얻을 것으로 예측된다. 실제 지난해 중국에서 가장 인기 있는 여행 상품 가운데 1위는 의료 분야로 홍콩 HPV 백신 접종 여행 상품이라고 한다. 중국 여행 연구원에 따르면 의료 여행 패키지를 이용하는 인구의 연 수입은 50만 위안 이상이며 주로 고등 교육을 받은 여성이 고객이라고 밝혔다.

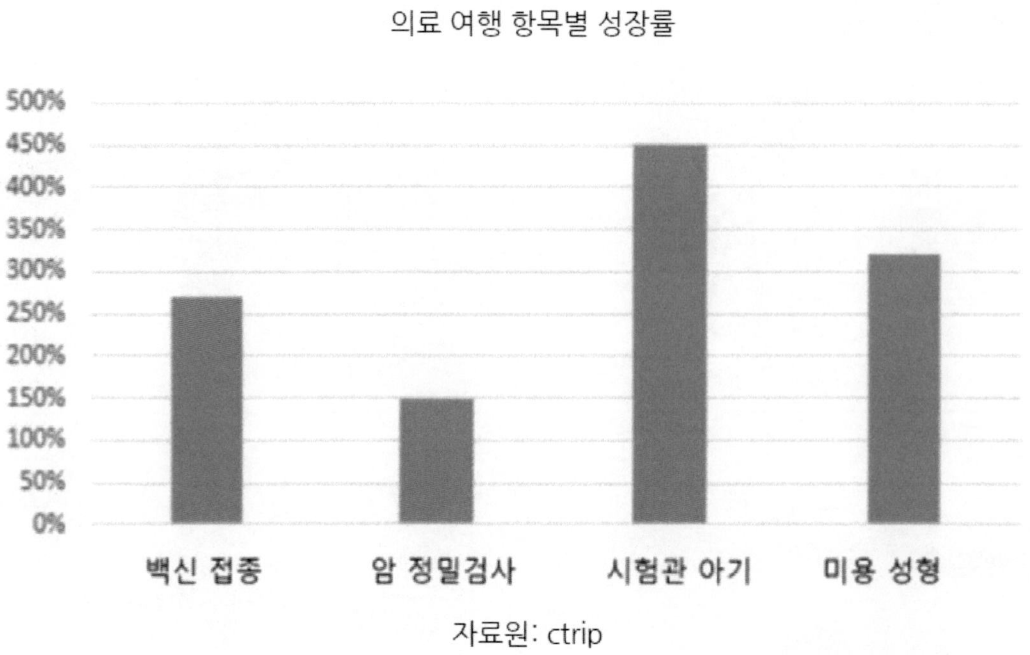

그림 36 의료 여행 항목별 성장률

해외 원정 접종을 하는 이유는 비단 가짜 백신 사태 뿐만이 아니다. 중국의 중국국가식약품감독관리국(CFDA)가 엄격한 수입약품 도입 절차를 가지고 있다. 따라서 자국 내 약품등록관리 방법에 따라 수입백신은 반드시 임상시험을 거쳐야 한다. 보통 대부분의 국가에서 인정되는 미국식품의약국(FDA) 인증은 채택되지 않는다.

예를 들면 중국의 HPV 백신 중 시장점유율이 높은 MSD사의 가다실9는 2014년에 미국에서 출시되었다. 이 때문에 많은 중국인들이 자국내 9가 백신 출시를 기다렸지만 2018년에 중국 국가식약품감독관리국(CFDA)가 9가 백신을 조건부 승인했다. 질병예방통제센터에 의하면 그 당시 600명의 인원이 접종 가능했지만 예약사이트 방문량은 360만에 달했다. 가장 몰릴 때에는 초당 2만 7천 건의 예약이 몰렸다. 그러나 인근 국가인 한국과 홍콩에서는 2016년에 9가 HPV 백신이 출시되었고, 해외 접종 시 접종 연령에 거의 제한이 없다. 중국내에서는 2가 백신의 경우 9~25세, 4가 백신은 20~45세 모두 여성에게 적용된다. 그러나 홍콩에서는 2가 백신을 제외한 4가,9가 백신은 남녀노소 접종이 가능하다. 한국의 경우 만 9~24세의 여성, 9~26세의 남성이 접종 대상자로 중국보다 범위가 넓다. 따라서 해마다 약 200만 명의 여성이 홍콩에서 자궁경부암 백신을 맞고 있다.

9가 백신은 출시된 이후부터 현재까지 중국에서는 공급이 수요를 따라가지 못하고 있다. 따라서 병원과 고객을 연결해주는 알선 브로커 및 대행업체가 나타나고 있다. 일반 국립병원에서 3696위안(한화 약 62만원)정도인 MSD의 주사는 브로커를 끼게 되면 6500위안(한화 109만원)까지 올랐다. 하지만 브로커를 껴도 최소 6개월 이후에나 접종이 가능하다.

04 백신 산업 현황

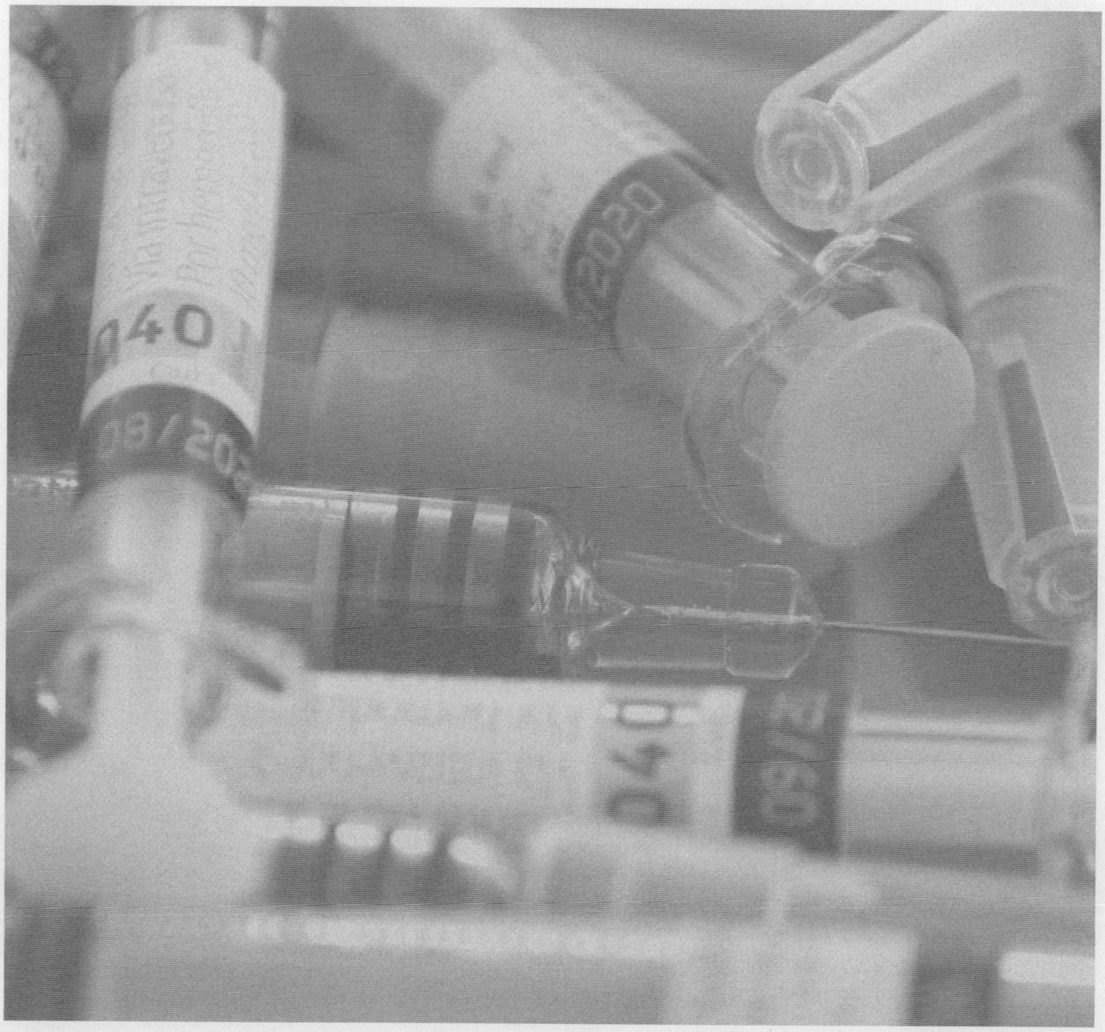

4. 백신 산업 현황

가. 국내 백신 산업

1) 산업체계[53]

국내에서 백신은 제조사의 백신 제조수입 단계를 처음 시작으로 해서 식품의약품안전처의 국가출하승인을 거치며 제조사와 도매상을 통해 유통을 시작한다. 식품의약품안전처는 국가검정을 통해 백신을 검증 및 감시하며, 질병관리본부는 공급 안정 관리를 위한 규제활동을 담당한다. 이 때 정부가 강제로 제조사에게 생산하도록 압력을 가할 수 없기 때문에 질병관리본부는 백신의 안정적인 공급을 위해 매년 제조사에게 필요한 공급량을 공고한다.
건강보험심사평가원 의약품관리종합정보센터에서 지정한 '생산·수입·공급 중단 보고대상 의약품' 을 생산하는 제약사는 제조 및 수입사가 생산·수입·공급을 중단할 경우 60일 전까지 식품의약품안전처에 이유를 밝혀야 하며 이를 지키지 않을 경우 행정처분을 받게 된다.

국내 백신 수급 단계는 ▲백신제조 및 수입단계 ▲백신검정단계 ▲유통단계 ▲접종단계로 나눌 수 있다.

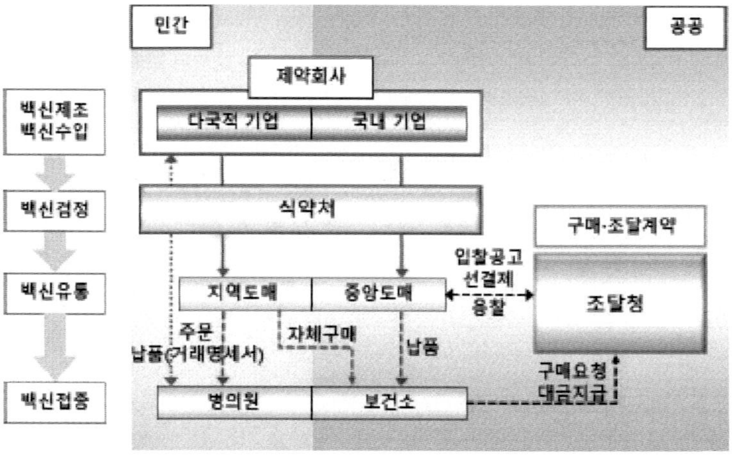

그림 37 백신 수급 단계

백신제조 및 수입단계에서 국내기업은 국내제조와 원료수입제조가 주를 이룬다. 그러나 원료수입제조가 더 많은 비율을 차지한다. 다국적기업의 경우 백신 완제의약품을 수입한다.

백신 검정단계는 식품의약품안전평가원 국가검정센터에서 수행한다. 제조사 및 수입사는 WHO, 미국, 일본 등의 기준 및 제조방법을 참고해서 백신허가기준 및 시험방법에 따라 자가시험을 진행한다. 그 후 적합하다고 판단되면 해당 제품에 대해 국가검정을 신청한다. 국가검정기간은 약 45일 소요되며 합격한 제품에 한해서 시중에 유통될 수 있다. 검정된 백신은 검

53) 국내외 백신수급현황 관련 정보 수집, 한국바이오의약품협회, 질병관리본부, 2016

정백신 통계를 사용하여 제조사의 제품별 및 시간별로 생산량을 체크할 수 있다.
백신을 수입하거나 제조할 때마다 국가 검정 인증서 및 생물학적 제제 출하증명서를 발급받아야 한다. 또한 매출거래명세포를 병의원 및 보건소에 제출해야 한다.

백신 유통단계는 크게 민간부분과 공공부분으로 나눌 수 있다.
민간부분은 국가필수예방접종으로 선정되지 않은 일반 백신들을 관리 및 운영한다.
보건복지부가 고시한 백신단가 내에서 병의원은 제조사와 직접 거래를 하거나 도매를 통해 백신을 구매한다. 그 후 백신 비용을 상환 받는 형태이다.
공공부분은 질병관리본부가 국가필수예방접종으로 지정된 백신을 직접 관리하는 형태이다.
조달청과 계약된 도매업체들이 보건소에 백신을 공급하며 진행된다. 일반적으로 국가필수예방백신은 매년 연초에 조달청에서 백신의 단가와 수량을 정하는 백신계약을 진행한다.
특히 조달청은 백신 구매량을 결정하는 것이 아니다. 도매상과 백신의 구매가격만 계약하여 각 보건소는 조달청에 의해 공급업체로 결정된 도매업체에 필요한 백신별 구매량을 요구하는 형태이다.

2) 현황[54)55)56)]

바이오업계에서 백신은 대표적인 블루오션 시장으로 꼽힌다. 세계적으로 백신이 개발된 질병은 총 28종이고, 국내에서 생산하고 있는 백신은 전체의 절반 수준인 14종이다. 세계적으로 인구 고령화 사회에 진입함에 따라 치료보단 예방으로 의료 트렌드가 변화하고 있다. 이에 따라 국내 제약사는 새로운 백신 개발에 적극적으로 뛰어들고 있다. 또한 국내에서도 2007년 신종플루 이후 백신 주권에 대한 목소리가 커지고 있다. 백신 주권 확보는 취약계층의 지원을 위한 사회적 서비스와도 관련이 있어 보건복지부는 향후 백신 자급률을 2022년까지 80%로 끌어올릴 계획이라 말했다.

특히 코로나19 팬데믹 사태에서 미국과 유럽을 중심으로 한 제약 바이오기업들이 백신 개발 성과를 달성한 것과는 대조적으로 국내에서는 아직까지 개발 성과가 없어 국내 제약 바이오기업들의 백신 개발 역량이 여실이 드러났으며 백신 주권 확보를 위한 R&D역량 개선의 필요성이 제기되고 있다.
국내 백신 산업의 정책으로는 2006년 제2차 생명공학육성 기본 계획을 시작으로 최근까지 7차례 수립되었으며, 백신의 개발 및 지원은 이들 계획의 일부분에 포함되어 있다.

백신 관련 정책 수립과 산업을 지원하는 주된 부처는 과학기술정보통신부, 산업통상자원부, 보건복지부, 식품의약품안전처, 질병관리청이다.

---

54) 한국보건산업진흥원 보건산업브리프「코로나19백신 치료제 개발사례로 살펴본 글로벌 바이오의약품 산업 R&D동향 및 시사점」
55) 식품의약품안전처「2021 상반기 백신산업최신동향집」
56) 한국바이오의약품협회「2021 하반기 백신산업최신동향집」

중장기 계획		인체 감염병 관련 내용
2007-2016	제2차 생명공학육성 기본계획	• SARS, 조류독감 등 전염병 대처기술 및 생물화학적 방재 원천기술개발 지원
2017-2026	제3차 생명공학육성 기본계획 (바이오경제 혁신전략 2025)	• R&D기반확충, R&D 및 산업 성과 가시화, 바이오경제 구현 글로벌 진출을 단계적으로 추진하며, 백신 및 감염병 관련 R&D 연구지원이 포함
2009	신종플루 등 감염병 대응 범부처 R&D 체계화 방안	• 신종인플루엔자, 조류인플루엔자 등 인수공통감염병에 대한 범부처 간 통합적 R&D 및 국가 위기발생 시 체계적 위기대응 연구 • 3종 백신, 5종 치료제 등 대응기술 확보, 전문가 pool 유지 및 양성, 백신 생산시설 등 대응 인프라 구축
2012-2016	국가 감염병위기대응기술 개발추진전략	• 감염병 대응 R&D의 체계적 추진을 위해 구성된 '범부처 감염병 대응 연구개발 추진 위원회' 수립 • 중점투자 분야 발굴 및 기술수요 분석, 기술개발 투자 로드맵 제시 • 감염병 R&D 실효성 제고를 위한 범부처 협력 및 협의조정 강화
2017-2021	제2차 국가 감염병 위기 대응기술 개발 추진 전략	• 국가방역체계에 부합하는 R&D 투자로 방역현장 적용 • 국제협력 및 연구 인프라 강화로 해외유입 신변종 감염병 대응강화
2018-2022	제2차 제약산업육성지원 5개년 종합계획	• 희귀·난치질환 및 감염병 치료제, 백신 개발을 위한 R&D 지원을 확대하고 공익 목적의 연구자 주도 • 첨단 바이오의약품 관련 제도를 개선하고 의약품 건강보험 등재 제도 보완, 임상시험 관련 규제 개선 추진
2018-2022	제2차 보건의료기술 육성 기본계획	• 범부처 감염병 R&D, 백신 자주권 조기 확보를 위한 공공 백신 인프라 구축, 항생제 내성균 공동대응으로 보건의료재난 대응역량 강화 • 감염병 유입 차단, 방역현장 대응, 확산 방지 등 국가방역체계 전주기에 걸친 R&D 지원 • 민간에서 개발이 어려운 대유행, 생물테러 감염병 백신 개발비축, 백신 후보주 제공 및 기업의 백신후보물질 유효성평가 지원
2020-2024	제1차 의약품안전관리 종합계획	• 백신 생산·유통·출하승인 및 부작용 관리체계 고도화 • WHO 백신 인증기관 등재를 통한 국내 백신 수출 지원 • 신개념 백신 제품화를 위한 평가 기술 개발: 새로운 플랫폼 기반 백신 평가 가이드라인(안)개발
2021	연구개발사업 종합시행계획	• 바이오헬스 분야의 기반을 확충하고 코로나19 신속대응 • 코로나19 극복 및 K-바이오헬스 산업 도약을 위한 범정부 '치료제·백신등개발지원 대책' 수립 및 기업의치료제·백신연구 개발지원
2021	바이오헬스 연구개발 투자전략 II	• 10개분야 맞춤형 투자 전략이 담겼으며, '임상,보건' 분야에서 신개념 진단, 치료,백신 핵심플랫폼 기술 확보 및 감염병 기초 기반 연구개발 투자 지원

출처: KISTEP 자료 가공, '2018 예비타당성조사 보고서 감염병 예방치료기술개발사업', 2019.05

그림 45 감염병 및 백신 관련 주요 중장기 계획 및 추진전략

과학기술정보통신부는 2021년도 R&D사업의 백신 관련 주요사업으로 316억 5,900만원 규모로 진행하였으며, 사업내용으로 신종 감염병에 대한 치료제 백신 개발이 가능한 플랫폼 기술개발 및 신 변종 바이러스 기초 연구 역량 강화를 위한 인프라 구축, 코로나19 극복을 위한 치료제 백신 개발 집중지원(21년 100억 원) 및 감염병 신속 대응을 위한 주요 분야 플랫폼 기술개발 추진(21년 102억 원), 한국바이러스기초연구소 설립 및 바이러스 연구자원센터 구축

추진(21년 109억 원)이다.

보건복지부는 2018년~ 2021년 제 2차 제약 산업 육성 지원 5개년 종합계획 중 백신관련 세부사업은 다음과 같다.

세부사업	내용
신약개발 역량제고를 위한 R&D 강화	-코로나19 치료제 백신 비임상지원 74억 원 - 코로나19 백신 임상지원 387억 원 - 감염병 예방 치료 기술개발사업 125억 원 - 바이오의료 기술개발사업 317억 원 - 신변종 감염병 대응 플랫폼 핵심기술 개발 102억 원 - 면역백신개발 지원 28억 원 - 백신 자급화 기술개발 248억 원
성장 동력 확보를 위한 전문 인력 양성 및 창업지원	- 한국형 NIBRT 및 바이오의약품 인력양성센터 구축사업 36억 원 - 바이오의약품 생산 전문인력양성 지원 20억 원
현장 수요 중심의 수출 지원체계 강화	- 의약품 인 허가 규제 국제 협력 및 경쟁력 강화 7억 원 - 의약품 분야 GMP 상호 협력 체결
선진제약 강국 도약을 위한 제약 산업 육성 기반 조성	- 글로벌 감염병 대응 연구개발 지원 100억 원 - 바이오헬스 투자인프라 연계형 R&D사업 56억 원

또 2021년 국가신약개발재단을 설립하여 글로벌 신약개발 프로젝트를 진행하였고, '백신 주권확보 및 글로벌 시장진출'을 비전으로 백신실용화기술개발 사업단을 출범하여 백신 자급화 및 신규 후보 발굴과 임상진입 가속화를 추진하였다.

국가임상시험지원재단을 국가 감염병 임상시험 사업단으로 지정하여 감염병 임상시험센터 협의체 구축 및 코로나19 백신 치료제 개발을 위한 임상시험 지원 사업을 추진했다.

바이오헬스 투자인프라 연계형R&D 사업을 통해 바이오헬스 분야 기술 기반 초기 창업기업에 정부와 민간이 공동으로 투자하고 국내 실험실 장비 등 우수한 인프라 연계를 통해 성공 잠재력 있는 기술의 빠른 상용화를 촉진하였다.

식품의약품안전처는 코로나19 대유행 등 감염병 확산에 능동적으로 대응하고 국가출하승인 관련 규제환경 변화에 효율적으로 대처하기 위해 출하승인절차에 대해 일부 개정하였고, 공중보건상의 위기 상황을 신속하기 위해 의료제품의 개발 촉진 및 긴급 공급을 위한 특별법을 제정하였다. 그리고 2020년 생물학적 제제 중 백신은 9품목이 승인되었다.(인플루엔자백신 4품목, 수두백신 1품목, A형간염백신 1품목, 폴리오백신 1품목, 페렴백신 1품목, 혼합백신 1품목)

식약처는 '글로벌 백신 제품화 지원단 운영'을 진행하고 있다. 이 사업은 백신 업체들이 제품 개발단계부터 필요로 하는 임상시험, 허가·심사, 의약품 제조·품질관리(GMP) 등 모든 과정에 걸쳐서 맞춤형을 컨설팅을 제공하는 것을 의미한다. 또한 세계보건기구 등의 국내·외 전문가가 참여하는 특별자문단을 구성하여 개발과정 중에 발생하는 문제점을 해결할 수 있도록 맞춤형 자문을 실시하고 있다. 뿐만 아니라 연구소나 공장 등을 직접 방문해서 개발 및 제조 상황을 확인하고 피드백을 주고 있다. 이러한 맞춤형 상담을 통해 세포배양 인플루엔자 백신, 콜레라 백신, 대상포진백신 등 13개의 백신을 국산화하는데 힘을 썼다.

식약처는 '백신 WHO 품질인증(PQ) 및 수출 지원'에도 진행하고 있다.
국내 백신이 전 세계적으로 유통될 수 있게 'WHO 품질인증(PQ) 지원 협의체'를 구성했다. 이를 통해 WHO 품질인증을 신청한 국내 제약사를 대상으로 임상, 제조·품질관리기준(GMP) 등에 대한 상담, WHO 품질인증 신청을 위한 기술문서 작성 등을 지원하고 있다.
WHO 품질 인증을 받게 되면 UN산하기관의 백신 국제 입찰에 참가할 자격을 얻게 되기 때문에 국내 백신의 글로벌화를 실현할 수 있다. WHO의 품질인증을 받아 해외로 수출하는 백신은 우리나라 백신 수출의 73.5%에 해당하며 16년 기준으로 약 1억5천만 달러를 기록했다.

한편 정부가 '바이오헬스산업 혁신전략'을 발표하여 바이오산업을 육성하기 위해서 범정부적인 지원방안을 제시했다. 이는 100만 명 규모의 국가 바이오 빅데이터 구축과 연간 4조원 R&D 투자와 바이오헬스산업의 기술개발부터 인허가, 생산, 시장출시를 포함하는 전범위적인 전략방안이다. 이를 통해서 정부는 바이오헬스산업을 우리나라 차세대 주력산업으로 키워 세계시장 점유율 3배 확대, 수출 500억 달러 달성, 일자리 30만개 창출을 달성한다는 목표하고 있다.

100만 명 규모의 국가 바이오 빅데이터는 2020년부터 10년간 구축한다. 희망자를 대상으로 인체정보를 수집하고 이를 이용하여 환자 맞춤형 신약 및 신의료기술 연구개발에 활용한다.
2017년 기준으로 정부의 혁신신약과 의료기기 개발을 위한 R&D예산은 2조 6000억 원이었다. 그러나 2025년까지 4조 원까지 늘리기로 했으며 ▲면역세포를 활용한 표적항암제 등의 재생의료·바이오의약품 개발 ▲신약개발 전주기 지원을 통한 유망 후보물질 발굴 및 중개연구 지원 ▲AI 영상진단기기 등 융복합 의료기기 및 수출 주력품목 기술고도화 등 차세대 유망기술에 집중적으로 지원할 계획이다.
정부는 이를 위해 금융 및 세제 지원 방안도 마련했다. 2022년까지 국내 블록보스터 신약개발을 지원하기 위해 약 15조원 규모의 '스케일업 펀드'를 활용할 방안이다. 이를 통해 향후 5년간 2조원 이상의 정책금융을 바이오헬스 분야에 투자할 계획이다. 제약·바이오 기업 R&D를 촉진하기 위해 신성장동력·원천기술 R&D 세액공제 대상에 바이오베터 임상시험비를 추가한다. 또한 글로벌 GMP 시설 투자세액공제를 지속적으로 지원하여 세계적인 수준의 생산시설 확보한다고 밝혔다.[57]
이러한 정부의 뒷받침으로 국내 백신 산업까지 영향을 미쳤다. 현재 우리나라 백신 시장에서 국내 제약사들은 전체 백신의 약 50% 수준을 자체 생산하고 있다. 우리나라 백신은 현재 글로벌 제약사에 밀리지 않고 다양하고 고품질의 백신을 개발 중에 있어 회사의 매출 뿐만

57) 바이오 스펙테이터, "100만명 바이오 빅데이터 구축·연 4조 R&D 투자", 장종원, 2019.05.22

아니라 국가의 백신 자급화에도 기여할 것으로 보인다.

2021년 기준 상반기 국내 백신관련 임상시험은 총 6건 이였으며, 이 중 3건이 코로나19 예방백신, 나머지는 B형간염백신, HPV, 수막구균이 각 1건이다.

연번	제목	성분명	제품명	의뢰자	단계	승인일
1	건강한 성인을 대상으로 수막구균(혈청형A, C, W-135, X 및 Y 균) 접합백신의 안전성 및 면역원성 평가를 위한 단일기관, 무작위배정, 관찰자 눈가림, 활성 대조, 제 1상 임상시험	EuMCV5주	EuMCV5주	(주)유바이오로직스	1상	2021-01-06
2	건강한 성인을 대상으로 COVID-19를 예방하는 재조합단백질백신 EuCorVac-19의 안전성, 내약성 및 면역원성을 확인하기 위한 용량 탐색, 무작위배정, 관찰자눈가림, 위약대조 제1/2상 임상시험 [# 코로나19백신]	EuCorVac-19	유코백-19 (EuCor-Vac-19)	(주)유바이오로직스	1/2상	2021-01-20
3	건강한 성인 및 고령자를 대상으로 면역증강제(AS03)를 이용하거나 이용하지 않은 SARS-CoV-2 재조합 단백질 나노입자 백신(GBP510)의 안전성, 내약성 및 면역원성을 평가하기 위한 용량탐색, 관찰자 눈가림, 무작위 배정, 위약 대조, 2단계, 제I/II상 임상시험 [# 코로나19백신]	재조합 코로나19 표면항원단백 나노파티클	GBP510	에스케이바이오사이언스(주)	1/2상	2021-01-26
4	고령자를 대상으로 COVID-19 예방 DNA 백신 GX-19N의 안전성 및 면역원성을 탐색하기 위한 다기관, 공개 라벨, 단일군, 제1상 임상시험 [# 코로나19백신]	GX-19 (pGX27-S1S2) /GX-19N (pGX27-S1S2 and pGX27 -SRBD/NP)	GX-19 /GX-19N	(주)제넥신	1상	2021-01-29
5	CELLECTRA 2000을 사용하여 건강한 성인을 대상으로 피내에 접종하는 GLS-6100의 안전성, 내약성 및 면역반응을 평가하기 위한 단일기관, 공개, 용량증량, 제 1상 임상시험	pGX8005, pGX8006, pGX8007	GLS-6100	진원생명과학(주)	1상	2021-05-20
6	성인을 대상으로 B형 간염 예방백신 CVI-HBV-002의 안전성(safety), 반응성(reactogenicity), 면역원성(immunogenicity)을 탐색적으로 평가하는 것을 목적으로 수행하는 무작위배정, 공개, 평행설계, 제 1상 임상시험	정제 재조합 B형 간염 표면항원 단백질	CVI-HBV-002	(주)차백신연구소	1상	2021-06-02
7	건강한 만 19-55세 성인을 대상으로 SARS-CoV-2 백신(IN-B009)의 안전성, 반응원성 및 면역원성을 평가하기 위한 용량증가, 공개, 1상 임상시험	IN-B009주	IN-B009주	에이치케이이노엔주식회사	1상	2021-07-22
8	건강한 성인 자원자를 대상으로 COVID-19 예방 백신 AdCLDCoV19-1 의 안전성, 면역원성을 확인하기 위한 단계적 용량 증량, 다기관, 공개, 제 1 상 임상시험	AdCLD-CoV19/ AdCLD-CoV19-1	AdCLD-CoV19/ Ad-CLD-CoV19-1	주식회사 셀리드	1상	2021-07-23
9	18세 이상의 성인을 대상으로 SARS-CoV-2 재조합 단백질 나노입자 백신(GBP510)의 면역원성 및 안전성을 평가하기 위한 다기관, 평행 비교, 관찰자 눈가림, 활성 대조, 무작위배정 제 3 상 임상시험	재조합 코로나19 표면항원단백 나노파티클	GBP510	에스케이바이오사이언스(주)	3상	2021-08-10
10	건강한 성인을 대상으로 COVID-19 예방 백신 'mRNA SARS-CoV-2 백신(EG-COVID)'의 안전성, 내약성 및 면역원성을 평가하기 위한 제 1/2a상(단계적 용량 증량, 단일기관, 공개, 제1상 및 무작위배정, 관찰자 눈가림, 다기관, 위약 대조, 제2a상) 임상시험	CoV2-F004	EG-COVID	아이진(주)	1/2a상	2021-08-31
11	수두박스 1회 접종한 이력이 있는 만 4세에서 만 6세의 건강한 소아를 대상으로 MG1111 (배리셀라주)의 2차 접종 시 안전성과 면역원성을 확인하기 위한 이중 눈가림, 무작위배정, 다기관, 활성대조 2상 임상시험	MG1111	MG1111	(주)녹십자	2상	2021-11-09

출처 : 의약품안전나라, 21.11.26

그림 47 국내 백신 임상시험 현황 (2021년 1월 ~ 11월)

2021년 기준 상반기 국내 백신의 품목허가는 총 6건 이였으며, 이 중 5건이 코로나19 예방백신이다.

연번	제품명	기업명	감염원	성분	허가일
1	한국아스트라제네카코비드-19백신주(사스코로나바이러스-2바이러스벡터백신)	한국아스트라제네카(주)	SARS-CoV-2	재조합 코로나바이러스 스파이크 단백질 발현 아데노바이러스 벡터(숙주: T-Rex-TM-293, 벡터: ChAdOx1)	2021-02-10
2	코미나티주(토지나메란)(사스코로나바이러스-2 mRNA 백신)	한국화이자제약(주)	SARS-CoV-2	사스 코로나바이러스-2 스파이크 단백질 발현 메신저 리보핵산(토지나메란)(숙주: DH10B, 벡터: pST4-1525)	2021-03-05
3	코비드-19백신얀센주(사스코로나바이러스-2바이러스벡터백신)	(주)한국얀센	SARS-CoV-2	재조합 코로나바이러스 스파이크 단백질 발현 아데노바이러스 벡터(숙주: PER.C6 TetR, 벡터: Ad26.COV2.S)	2021-04-07
4	모더나코비드-19백신주(사스코로나바이러스-2 mRNA 백신)	(주)녹십자	SARS-CoV-2	사스 코로나바이러스-2 스파이크 단백질 발현 메신저 리보핵산(숙주: DIG315, 벡터: PL-022856)	2021-05-21
5	아스트라제네카코비드-19백신주(사스코로나바이러스-2바이러스벡터백신)*	한국아스트라제네카(주)	SARS-CoV-2	재조합 코로나바이러스 스파이크 단백질 발현 아데노바이러스 벡터(숙주: T-Rex-TM-293, 벡터: ChAdOx1)	2021-05-21
6	스카이뉴모 프리필드시린지	SK바이오사이언스(주)	Strepto-coccus	정제폐렴구균다당류(혈청형 1,3,4,5,6A,6B,7F,9V,14,18C,19A,19F,23F)-디프테리아CRM197단백질 접합체	2021-06-04

출처 : 의약품안전나라

* 해당 백신은 영국,이탈리아,스웨덴,미국에서 생산된 것으로 '한국아스트라제네카코비스-19백신주(21.2.10 허가, 국내 생산)'과 구별됨

7	싱그릭스주[대상포진바이러스백신(유전자재조합)]	㈜글락소스미스클라인	Zoster	재조합 수두대상포진바이러스 당단백질E(숙주세포주: CHO-K1, 벡터: pRIT14427)	2021-09-06
8	스파이크박스주(사스코로나바이러스-2 mRNA백신)	모더나코리아(주)	SARS-CoV-2	사스 코로나바이러스-2 스파이크 단백질 발현 메신저 리보핵산(숙주:DIG315, 벡터:PL-022856)	2021-12-13

출처 : 의약품안전나라, 21.12.13

그림 49 국내 백신 품목허가 현황 (2021년 1월 ~ 11월)

58)

현재 국산 백신 제품을 개발하고 판매 중인 곳은 대표적으로 GC녹십자와 SK케미칼, 일양약품 등이 있다.

SK케미칼은 백신산업에 뛰어든지 10년 만에 글로벌 제약사와 경쟁할 수 있는 백신 제품을 시장에 내놓았다. 2008년부터 4000억원을 백신 부문에 투자하여 2015년에 세계 최초로 세포배양 4가 독감 백신 스카이셀플가를 출시했다. 또한 2017년 자체 기술로 개발한 대상포진백

58) 아이큐비아

신의 스카이조스터가 국내에서 시판되었다. 이에 따라 대상포진백신을 독점해오던 미국 제약사 MSD의 조스터박스의 독점구조를 깼다. 뿐만 아니라 폐렴구균, 소아장염, 자궁경부암 등의 다양한 적응증에 대한 백신을 개발 중에 있다. 이러한 백신은 국가 필수 예방접종이 아니라 프리미엄백신으로 분류돼 회사의 매출 성장에도 영향을 줄 것을 예측된다. 2018년 SK케미칼의 100%자회사 SK바이오사이언스가 설립되면서 백신을 통한 국내 시장 리더십 강화와 글로벌 진출을 적극적으로 추진할 계획이라 밝혔다.

전문가들은 SK바이오사이언스가 지속적인 설비투자로 인해 차세대 백신명가로 주목했다. 2018년 7월 경상북도, 안동시와 함께 2022년까지 1000억 원을 투자해 백신 제조공장 증설을 골자로 한 투자양해각서(MOU)를 체결했다. 따라서 SK바이오사이언스는 안동 바이오산업단지에 6만2626㎡ 규모의 백신 상업 생산설비를 확보한다. 증설이 완료되면 독감백신의 원액 생산량이 2배로 증가하며, 100명의 신규 고용 창출이 있을 것으로 기대된다.

GC녹십자는 2019년 독감백신의 누적 생산량이 2억 도즈를 돌파했다. 2009년 국내 최초로 3가 독감백신 지씨플루를 출시했고, 2015년에는 국내 최초로 4가 독감백신 지씨플루쿼드리밸런트를 개발하며 독감백신의 세대 교체를 했다. 2010년부터 수출을 시작한 이래로 현재 총 45개국에 수출하고 있다. 또한 PAHO의 독감백신 입찰에서 6년째 점유율 1위를 기록하며 내수와 수출분야 모두 경쟁력을 높이고 있다. GC녹십자는 신종인플루엔자와 독감백신 등을 생산하는 화순공장에 1500억 원이 투자되어 생산시설 증설과 공장 생산 효율화를 진행했다. 2009년 직원은 149명에 불과했지만 현재 274명으로 2배 가까이 늘었다. 이 중 60%는 화순군에 거주하는 직원을 채용하여 지역경제 향상이란 선순환 체계를 구축했다. [59]

GC녹십자의 국내외 매출 증가는 매출 1조를 달성시켰다. 회사 측은 올해 외형 성장과 R&D 투자 확대는 이어가되, 원가를 절감해 수익성 회복에 집중한다고 밝혔다. GC녹십자의 경우 매출의 약 10% 수준의 금액을 R&D에 투자하고 있다.

59) 중앙일보, 지속적인 R&D 투자로 독감백신 국내 1위 넘어 30여 개국 수출, 박정렬, 2018.9.30

3) 특성

우리나라 백신산업은 정부의 지속적인 바이오산업 분야의 R&D를 지속적으로 지원하고 있는 것이다. 그러나 신제품 개발 경험이 없고 중복투자 및 내수시장 한계는 약점으로 작용한다. 다국적 제약사들의 높은 지장 점유율은 국내 백신산업에 위협요인이 되고 있다.

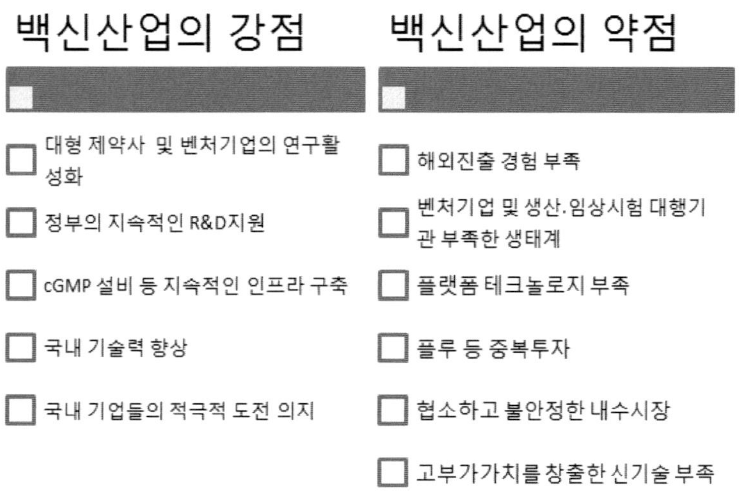

[60] 그림 38 국내 백신산업의 강약점 분석

현재 국가필수예방 백신은 총 22종이나 국내에서 자체 생산이 가능한 백신은 6종에 불과하다. 그 종류는 B형간염, 수두, 신증후군출혈열, 독감, 일본뇌염(사백신), 파상풍-디프테리아(Td)이 있다. 나머지 필수 백신 16종은 여전히 전량 수입에만 의존하고 있는 실정이다. 이처럼 국내 백신산업은 상당 부분 원액을 수입해서 포장 및 판매하고 있거나 외국산 완제품 수입에 의존하고 있다. 국내 생산이 가능한 백신을 제조할 때에도 대부분의 백신 원료를 수입에 의존하고 있어 원가 부담이 높아지고 있으며 수급조절을 위한 물량 확보가 어려워지고 있다. 또한 국내 독감백신 시장의 경쟁이 치열해지면서 공급 과잉에 따를 폐기문제에 대해 고충을 가지고 있다.

국내 제약사들도 백신 자급률을 위해 노력하지만 다국적 제약사들의 높은 특허장벽으로 어려움을 겪고 있다. SK케미칼은 국가필수예방 백신인 폐렴구균 백신을 개발하여 식품의약품안전처로부터 허가를 받았다. 자사의 빠른 출시를 위해 화이자(오리지널 백신 프리베나13을 보유함)를 상대로 특허 무효 소송을 제기했다. 그러나 대법원은 오리지널사인 화이자의 손을 들어주며 프리베나13의 특허기간 20263년까지 제품을 출시할 수 없게 되었다.

정부는 백신주권을 확보하기 위해 공공백신 개발지원센터를 설립했다. 2020년 준공이 완료될 예정이며 민간 개발이 어려운 신종 감염병 백신 등을 개발 및 지원한다. [61]

---

60) 팜뉴스, 내수시장 한계ㆍ신제품 개발 경험 없어, 전미숙, 2015.12.01
61) 머니투데이, 신종플루 이후 10여년…백신주권 확보는 '제자리 걸음', 민승기, 2018.12.20

4) 환경분석

가) 정책(Politics)

▷ 촉진요인

보건복지부는 아래와 같은 사업을 추진하여 백신을 글로벌 미래성장산업으로 확장시킬 계획이다. 따라서 2020년 까지 세계 5위의 백신강국 및 자급률 80% 달성을 추진 중이다.

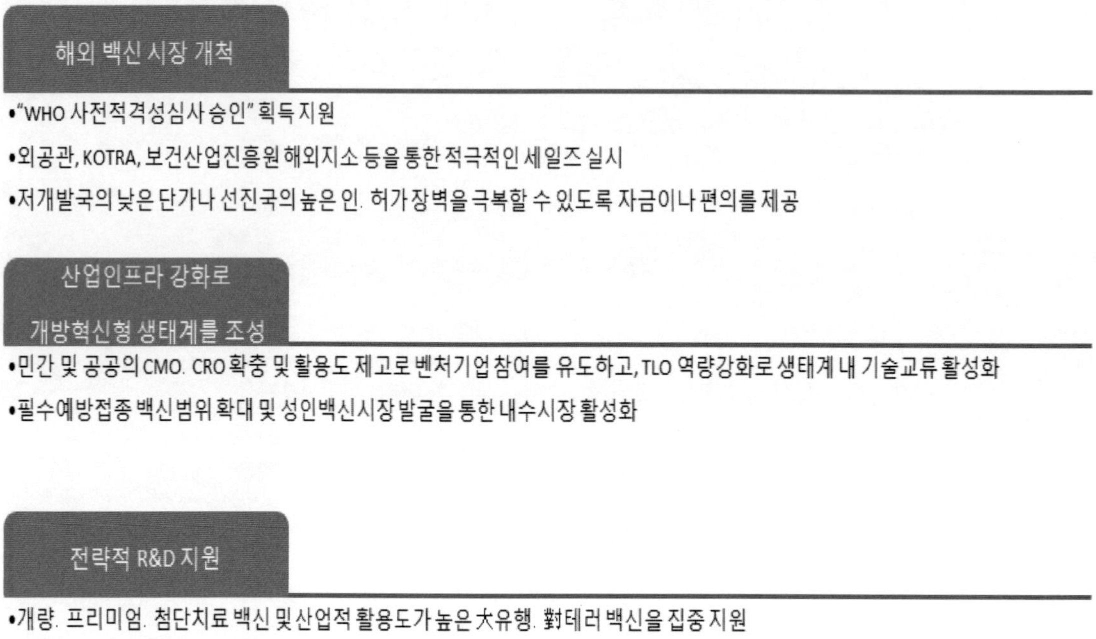

62) 그림 39 정책부문 촉진요인

또한 국내 정부기관, 학계, 산업계가 함께 백신산업 활성화를 위한 국내 산업단지를 조성한 점 역시 촉진요인이다. 대표적으로 화순백신산업특구, 오송생명과학단지, 안동 백신산업 클러스터가 있다. 화순백신산업특구의 경우 올해부터 2023년까지 총 213억이 투입되어 국내 제약사를 대상으로 백신 제품화와 해외수출을 지원한다. 안동 백신산업 클러스터는 SK바이오사이언스 L하우스 백신공장, SK,플라즈마 안동공장, 국제백신연구소 안동 분원을 유치했다. 나아가 글로벌 GMP규정에 적합한 시스템을 구축하여 세계적인 수준의 임상용 백신을 생산할 계획이다. 이러한 백신산업단지를 통해 국내 백신 제약사들이 정부의 지원을 받아 산업 시설을 확충하여 제품생산을 촉진할 것이다.

정부가 부처별로 산재되어 있던 백신 R&D 지원정책을 '백신 자급화를 위한 R&D 지원 전략'으로 통합 운영한다. 이에 따라 2020년부터 2029년까지 약 5,080억 규모의 예산을 투입하여 종의 백신을 임상 2상까지 완료한다. 이에 따라 수급 안정화, 제약사의 경쟁력, 연구자의

62) 보건복지부 보도자료, 백신, 국내 자급을 넘어 글로벌 미래성장산업으로!, 09.05

R&D 기반, 국민의 백신 적기 접종 등 효과가 기대되어 진다.[63]

식약처 역시 'WHO PQ 인증지원을 위한 맞춤형 상담 및 현장자문'을 확대 실시한다. 이에따라 국제 백신 조달시장에서 수출 선점이 전망된다.

▷ 저해요인

비급여 항목으로 채택된 백신들은 의료기관마다 접종비용이 상이했다. 해마다 독감 백신 접종비용이 논란이 되고 있지만 정부는 직접적으로 관여할 수 없는 법적 근거가 뚜렷하지 않다며 설명했다. 국가필수예방접종사업 중 독감백신과 자궁경부암백신이 국민들의 수요에 따르지 않는 것도 저해요인이다. 현재 독감백신은 3가 백신을 지원하고 있지만 접종자들은 4가 백신을 접종받길 원한다. 자궁경부암백신 역시 가장 넓게 예방하는 9가백신이 무료접종 백신에 포함되지 않았다. 백신이 수시로 개발되는 가운데 보다 넓은 예방범위를 가진 접종을 국가필수예방접종에 포함시켜야 한다.

또한 국제의약품공통기술문서(Common Technical Document, CTD)를 도입하여 R&D 비용이 증가한 것과, 생물학적 제제로서의 유통과정 리스크 규제도 저해요인으로 손꼽힌다.

나) 경제(Economy)

▷ 촉진요인

우리나라의 고령화 진행속도가 점차 빨라지고 있다. 2026년에는 고령사회를 넘어 초고령 사회로 진입하게 되고 이에 따른 인구구조 변화는 국내 제약 및 바이오산업을 안정적으로 성장시키는 촉진요인이 된다. 고령화가 진행될수록 만성질환 환자들이 증가하면서 경쟁력 있는 제품의 경우 고수익이 보장된다. 또한 고령화사회가 지속되면서 대상포진백신이나 항암백신같은 프리미엄백신의 수요가 꾸준히 늘면서 우리나라 제약사 역시 프리미엄백신 시장에서 좋은 성과를 얻을 수 있었다.

이에 따라 국내 제약사들은 백신부문에 대해 지속적으로 R&D를 확대하고 있으며, 해외 기업과 함께 과제를 도입하여 아시아 지역 개발 및 상업화를 진행 중에 있다.

최근 중국의 가짜백신 사태가 일어남에 따라 우리나라로 의료관광을 오는 중국인들이 증가하고 있는 점도 촉진요인 중 하나이다.

▷ 저해요인

국내 백신 시장에서 국내제약사의 백신 자급률이 50%를 넘겼지만 아직까지 국가예방접종사업 독과점이 심각하다. 질병관리본부가 제출한 자료에 따르면 시장점유율 100%를 점유한 백신은 7개, 50% 이상 점유한 백신은 15개에 달한다. 해외 제약사로는 대부분 사노피사 및 GSK의 독점으로 시장을 지배했다. 이에 따라 제조 및 수입사, 유통사의 다변화가 필요할 것으로 전망된다.

---

63) 히트뉴스, 정부, '백신 자급화' 사활...부처별 R&D 지원 통합 조정, 강승지, 2019.02.15

백신을 개발하기 위해서 오랜 기간 연구개발에 막대한 비용을 투자해야 하는 것과 국가별 인증을 얻기 위해 지속적으로 임상실험을 진행하는 것이 저해요인으로 꼽힌다. 또한 신흥시장이라고 평가받았던 중국, 인도, 브라질 등에서 날이 갈수록 경쟁이 심화되고 있는 상황이라 국내 제약사들의 매출에도 영향을 미칠 것으로 평가된다.

다) 사회(Society)

▷ 촉진요인

세계적으로 우리 사회가 겪고 있는 인구 노령화와 만성 질환자의 증가 등으로 백신의 수요는 지속적으로 증가될 것으로 예측된다. 또한 웰빙 문화가 확산됨에 따라 예방의학에 대한 관심이 커지고 있다. 최근 국내 백신 시장에서 다국적제약사를 제치고 국내 제약사들이 점유율을 높여가면서 국내 백신에 대한 인식이 향상된 것도 촉진요인 중 하나이다. 또한 블록버스터급의 백신이 국내 제약사에서 출시 됨에 따라 국내 제약사의 성장에 대한 긍정적인 분위기를 조성하고 있다. 맞춤형 바이오 의약품에 대한 요구가 늘고 있는 가운데 최신 맞춤형 암백신 성공사례들이 발표되면서 파급효과가 클 것으로 전망된다. 또한 백신 관련 특허권 만료가 되면 국내 제약사의 백신 개발에도 가속화가 될 것으로 기대된다.

▷ 저해요인

최근 중국의 가짜백신 사태가 일어남에 따라 더욱 안전한 백신이 요구되고 있다. 특히 국내 의약품 시장에서 중국 및 인도산 원료 의약품이 차지하는 비율은 약 20%에 달한다. 수입된 원료의약품의 품질에 대한 문제점이 지속적으로 발생하고 있어 국민들의 불안감이 커지고 있다. 업계에서도 원료 수입 의약품에 대한 불안감이 커지면서 식약처의 제도 개선이 필요하다. 또한 백신의 시장 특성 상 진입장벽이 높은 부분도 저해요인 중 하나이다.

라) 기술(Technology)

▷ 촉진요인

기술이 발전됨에 따라 예방 가능한 질병군이 확장되고, 소아용뿐만 아니라 성인의 질병을 예방해 주며 치료제 역할을 하고 있다. 최근 예방백신 외에 치료용 백신, 부작용이 최소화된 백신, 세표면역유도백신 등 차세대 백신이 등장하고 있다. 이미 새로운 질환에 대해 승인을 받았거나 개발이 상당히 진행된 상태이다. 만성질환을 치료할 수 있는 치료백신의 개발은 이미 실용화 단계에 들어섰고 향후 시장이 기하급수적으로 성장할 것으로 관측된다. 또한 2018 BIO USA는 질병의 대유행시에 빠르게 백신을 공급할 수 있는 세포배양 방법과 유전자 재조합 방법을 주목하고 있어 제약사들은 기술개발에 공을 들일 것으로 전망된다.

녹십자, LG생명과학, 베르나바이오텍, SK케미칼 등은 높은 수준의 GMP 시설을 보유하고 있어 기술부문에서 촉진요인이다.

▷ 저해요인

외국계 기업에 비해 백신분야에 대한 연구개발투자가 점, 해외진출 경험이 부족한 점, 플랫폼 테크놀로지가 부족한 점, 벤처기업 및 생산·임상시험 대행기관이 부족한 점이 기술 측면에서 저해요인으로 볼 수 있다. 또한 개발된 백신의 임상평가인프라 및 평가기술 개발이 요구되는데 백신은 생산설비, 공정, 소재, 제품이 복잡한 점도 고려해야 할 점이다. 따라서 임상시험 수행에 많은 시간이 소요되고, 백신의 평가에서는 나이, 영양상태, 성별, 질병, 유전적 요인에 따라 많은 차이를 보여 해당국가에서 평가를 반복해야 한다.

[백신 분야의 PEST 분석]

구분	촉진요인	저해요인
정책	- 가장 경제적인 보건정책으로 정부의 적극적인 육성 - 백신 자급율을 높이기 위한 R&D 지원 - 진단시약과 의료기술 보유업체 투자비중 증대	- 재정 부담에 따른 가격 통제 정책 - CTD[38] 도입에 따른 R&D 비용 증가 - 생물학적 제제로서의 유통과정 리스크 규제
경제	- 인구 노령화에 따른 성인백신 시장 급 팽창 - 경제 성장으로 고가의 프리미움 벡신시장 성장 - UNICEF, PAHO의 국제 기구를 통한 시장 성장 지속	- 인도, 중국 등 신흥국의 많은 백신회사 경쟁 필수 - CTD 도입, 많은 임상 결과 확보에 따른 에 따른 R&D 비용 증가 - 프리미움 백신에 대한 다국적 기업의 높은 장벽
사회	- 전염병에 대비해야 한다는 사회적 공감 - 백신 접종에 대한 사회의 긍적적인 마인드 확산 - 질병 예방차원을 넘어 진행 감소 치료용으로 확대	- 일부 백신 부작용에 대한 거부감 확산 - 진입장벽이 높은 시장의 특성 보유 - 백신 관리소홀에 의한 약화사고
기술	- 국내의 경우 녹십자, LG생명과학, 베르나바이오텍에서 WHO PQ 획득 - 면역세포를 이용 치료백신 세계수준의 기술력 확보 - 높은 수준의 GMP 시설 보유(녹십자, LG생명과학, 베르나바이오텍, SK케미칼)	- 생산용 바이러스주(attenuated strain)개발 경험 미흡 - 선진국의 높은 기술 장벽 (수출 예 없음) - 치료백신 상품화 예가 적고 아직 시장 파급력 부족

전염성질환 증가 / 백신 자급자족 / 성인백신 시장확대 / 높은 기술장벽 / 치료백신 영역확대 / 기술확보

- 비용 대비 효과가 가장 큰 의약품으로 현재 사용 중인 30종의 백신 이외에 다양한 un-met need 백신 개발 중
- UNICEF, PAHO등 국제기구에서 개발도상국 백신 공급에 적극적
- 기존의 백신의 단점을 개량하고 면역원성을 증가하고 접종의 편리성을 높인 제품의 지속적인 개발
- 국내의 경우 2009년 신종인플루엔자 유행 이후 대기업 등 참여 활성화

그림 40 백신의 PEST 분석

64)

64) 중소기업 기술로드맵, 중소기업청/중소기업기술정보진흥원

나. 해외 백신 산업

1) 산업체계[65)]

해외 백신 시장은 공공조달시장(Public Market)과 일반시장(Private Market)으로 구분할 수 있다.

	공공조달시장(Public Market)	일반시장(Private Market)
진입방식	국제기구 및 개별 개발도상국 입찰	제조 및 판매업체를 통한 판매
필수요건	WHO PQ 인증	각 국별 허가 시 제출하는 임상 및 품질 입증 자료
특성	- 가격경쟁력 중요 - 장기간 공급계약으로 안정적 매출 기대	- 고가의 프리미엄 백신 수요 증가에 따른 수익성 제고 가능
현황	아시아(중국, 인도 등) 업체 제품이 주도함	다국적 제약사의 제품이 주도함

출처: 이베스트 투자증권 리서치센터

그림 40 공공조조달시장과 일반시장의 구분

공공조달시장이란 세계보건기구(WHO)와 GAVI(Global Alliance for Vaccines and Immunization)가 저개발국가의 신생아들에게 백신을 보급하는 UN구호시장을 의미한다. 따라서 세계보건기구의 산하 UNICEF와 PAHO를 통해 매년 전 세계 백신 매출의 5-10%인 17억 도즈의 백신을 구매하고 있다.

전체 물량은 약 60%는 다국적 제약회사가 아니라 신흥 개발 도상국 인도, 브라질, 중국 등의 백신 제조사들이 공급하고 있는 추세이다. 전 세계적으로 프리미엄백신이 이목을 끌고 있지만 공공조달시장에서는 대부분 기초예방접종 백신이 주를 이루고 있다.

공공조달시장의 특징으로는 일반시장과는 달리 세계보건기구의 사전적격성 평가(Pre-qualification, PQ) 인증을 획득해야만 백신 공급 입찰 자격이 주어진다.

일반시장은 일반 사기업을 통한 백신의 개별 판매 시장을 의미한다. 전체 시장 중 북미 시장이 52%, 유럽 시장이 29%를 차지하여 전체 80% 이상이 선진국이 지배하는 시장이다. 과거에는 기초접종백신이 주를 이뤘으나 요즘에는 혼합백신이나 프리미엄 백신 시장이 큰 증가세를 보이고 있다. 해당 시장은 GSK, Sanofi-Pasteur, Merck, Novartis, Pfizer의 다국적 기업이 85% 이상 점유하는 구조를 지니고 있다.

▷ 미국의 백신 수급관리

질병예방통제센터(CDC, Center for Disease Control and Prevention)에서 미국의 백신 수급관리를 담당하고 있다. 1993년 이후 중앙집권적 백신 배분 시스템인 VMBIP(Vaccine Management Business Improvement Project)를 활용하고 있다. 이는 공공부문을 통해 전체 백신의 절반 가량을 연방 정부에서 구입하며 이를 전체 주 및 지역에 배분하는 시스템을

65) 국내외 백신수급현황 관련 정보 수집, 한국바이오의약품협회, 질병관리본부, 2016

의미한다. 미국의 중앙집권적 백신 배분 시스템은 백신 저장에 따른 위험성을 줄여준다. 또한 연방 정부가 직접 구입하여 배분하기 때문에 분배 비용을 줄일 수 있고, 백신 수급 상황에 대해 쉽게 파악할 수 있다는 장점이 있다. 이를 통해 전국적으로 백신 수급변화에 대해 신속하게 대처할 수 있다.

▷ 유럽의 백신 수급관리

유럽의 백신 수급은 회원국 별 수급관리가 이뤄지고 있다. 또한 유럽질병통제관리센터(ECDC, European Centre for Disease Prevention and Control)를 통해 감염병 관련 정보를 수집하며 국가 간 감염병 대응 능력을 결집하고 있다. TESSy시스템을 이용하여 유럽 회원국 간에 감염병 감시 정보를 온라인으로 정보를 신속하게 교환할 수 있다.

유럽의 각 국의 관련 정부부처에서 실행 시에 약간의 변동은 있을 수 있다. 영국의 경우 보건부가 대표해서 수급할 백신의 종류를 결정하며 국가 예방접종 정책을 개발 및 관리한다.

영국 국민보건서비스 NHS는 보건부 소속 기관은 아니지만 젗ㄴ염성 질병 발병 추세를 꾸준히 모니터링 하고 있다.

▷ 일본의 백신 수급관리

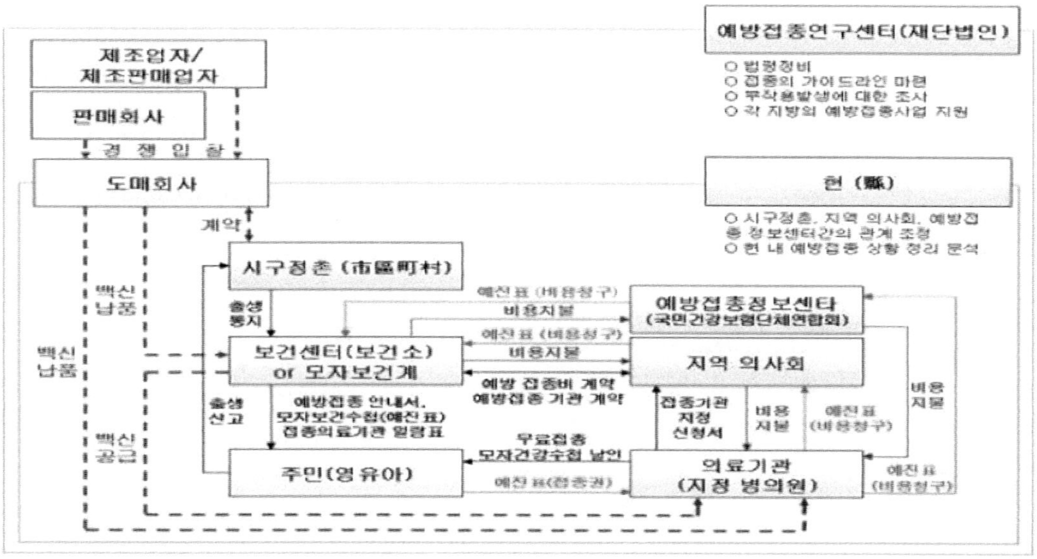

그림 41 일본 백신 유통 흐름도

일본의 백신 수급은 후생노동성(MHLW)에서 담당한다. 후생노동성은 여러 심의회 및 연구회를 조직하고 있으며 감염병 감시 및 예방접종 관련 사안 및 백신 안정 공급에 대해 지속적을 논의하는 기관이다.

제조판매업체가 입찰을 통해 도매상으로 백신을 판매한다. 도매상은 시청 보건과와 서류상 계약을 진행하고 각 지역에 있는 도매상 대리점을 통해 병원에 백신을 납품한다.

여러 제조사가 유효성분은 동일하지만 제법은 다른 동일 백신을 공급하는 체제이다. 따라서 어떤 제조사의 생산 문제가 발생할 경우 다른 회사가 공급량을 맞춰 완충 시킬 수 있다. 만약 백신 수급상황의 균형이 깨질 경우를 대비해 국가와 제조업체가 협력해 제조업체간 공급량이나 재고를 조정해서 공급량을 맞춘다.

2) 현황[66)]

글로벌 제약사들이 바이오벤처와 공동연구를 통해 mRNA 백신 개발에 적극적으로 나서고 있다. 사노피 파스퇴르는 미국의 바이오벤처 Transl Bio와 계약을 맺어 감염병을 일으키는 병원균과 관련된 mRNA 백신 개발을 체결했다. 릴리는 독일의 바이오벤처 CureVac과 공동으로 항암백신 개발을 진행중에 있다. MSD는 Moderna Therapeutics와 개인별 맞춤형 항암백신 개발에 나섰다. 화이자는 미국의 바이오벤처 BioNTech와 독감예방 백신 개발에 나섰다. 최근 mRNA 백신 연구는 암에서부터 각종 감염성 병원균을 일으키는 인플루엔자 바이러스, 에볼라 바이러스, 지카 바이러스 등이 활발히 진행 중에 있다. 그러나 동물 모델에서 입증한 면역원성이 사람과는 큰 괴리가 있는 것으로 나타났다. 따라서 어떤 면역 신호 전달 경로가 사람에게 가장 효과적인지는 향후 많은 연구가 필요하다.[67)68)]

일본에서 의료연구개발기 AMED는 2021년 6월 코로나19 대책을 위한 연구 개발 등의 지원 상황을 발표하였다. 코로나19관련 일본정부의 예산액은 2019년 예산 집행 잔액과 2020년 보정 예산을 합친 1,930억 엔 이였으며, 약 340가지 과제를 지원하고 있다. 이 중 백신의 연구 개발 관련 예산은 602.5억 엔이며, 재조합 단백질, mRNA, DNA, 불활화, 바이러스 벡터 등 다양한 플랫폼의 신규 백신 및 기초 연구부터 비임상, 임상시험까지 지원하고 있다. 백신 치료제의 연구 개발 과제는 PD, PO등의 전문가들로 구성된 과제 운영 위원회를 설치하여, 실시간으로 진행상황을 확인하고 의약품의 상용화를 위해 탄력적으로 지원하고 있으며, 이미 진행 중인 과제에 대해서는 추가 지원을 통해 개발을 가속화 하고 있다. 2021년 6월 기준 일본기업이 개발 중인 코로나19 백신은 총 6건이었으며, RNA백신이 2건, 재조합단백질, DNA, 불활화, 바이러스 벡터 백신이 각각 1건씩이었다.

미국의 개인 맞춤형 신생항원 암백신 개발기업인 Geneos Therapeutics와 진원생명과학의 자회사 VGXI가 공급계약을 채결했다. 따라서 암백신의 우수의약품제조 및 품질관리기준(cGMP) 생산시스템 구축에 착수할 것으로 전망된다. VGXI의 플라스미드 고순도 고수율 생산공정을 이용하여 생산시간을 1/10으로 줄여서 Geneos Therapeutics의 맞춤형 신생항원 암백신을 빠른기간에 고순도의 백신으로 생산할 수 있다. VGXI는 Geneos Therapeutics에 제품을 공급할 뿐만 아니라 위탁생산서비스도 제공할 계획이라고 밝혔다.[69)]

콩고민주공화국에서 에볼라가 창궐하자 세계보건기구는 임상단계에 있는 MSD의 에볼라 백신(rVSV-ZEBOV)을 긴급투여 했다. 무허가 백신이지만 2018년 에볼라가 콩고민주공화국을 강타했을 때 세계 어느 나라에서도 허가 받은 백신이 없었기 때문에 당시 임상 3상을 마친

---

66) 한국바이오의약품협회 '2021하반기 백신산업최신동향집'
67) 히트뉴스, 글로벌 빅파마도 군침...mRNA 백신 개발 열기 높지만, 홍숙, 2019.05.31
68) MedicalTimes, 외자사 주목 차세대 백신 "mRNA 기술 대세 입증", 원종혁, 2018.08.17
69) 증권뉴스, 진원생명과학 "자회사, 개인맞춤형 신생항원 암백신 생산시설 구축 착수", 이후섭, 2019.07.23

MSD의 백신이 유일한 돌파구였다. 그 결과 97.5%의 효능이 나타났다. 현재 에볼라 백신은 미국 존슨&존슨과 중국, 러시아에서 백신이 개발 중에 있다. 그러나 백신 개발이 지연되고 있는 이유는 수익성이 나타나지 않기 때문이다. 실제 피해자들이 너무 적어서 제약회사들이 투자를 꺼려하며, 발병 지역이 주로 저개발국가인 아프리카에 국한되어 있기 때문이다. [70][71]

최근 항생제에 내성을 가지는 다재내성 페스트균(Yersinia pestis)이 발견되면서 새로운 백신 개발을 위해 연구 및 개발이 이뤄지고 있다. 해마다 약 2000명의 사망자를 발생시키고 있으나 우리나라에서는 아직까지 발병 사례는 없다. 그러나 해외여행객의 수가 증가되면서 국내 유입가능성이 높아지고 있다. 미육군 감염명 의학연구소(USAMRIID)는 현재 재조합 단백질을 이용해 백신을 개발 중에 있고 FDA승인을 위해 임상 2상을 연구 중에 있다. 크리스탈(Crystal) 그룹에서는 페스트 V 항원을 아데노바이러스 벡터에 삽입한 재조합 바이러스를 개발했다. 나아가 아데노바이러스를 이용하여 1가백신(rAd5-LcrV)과 3가백신(rAd5-YFV)을 개발했으며, 3가 백신은 영장류에서 면역효과가 뛰어난 것으로 입증되었다. [72]

중국 국가약품감독관리국(NMPA)이 GSK의 대상포진 백신 싱그릭스(Shingrix)을 허가했다. 중국에서는 연간 약 300만명의 성인이 대상포진에 겪기 때문에 90% 이상의 예방률을 보이는 싱그릭스의 판매가 급증할 것으로 예상된다. 이전에는 MSD의 조스타박스가 독점하고 있었으나 예방률이 높은 싱그릭스가 출시되면서 미국 시장에서도 대부분 싱그릭스가 독점하고 있다. 싱그릭스는 출시된지 2년만에 연매출 1조원을 넘어서면서 MSD의 조스타박스보다 5배 높았다. 한국 내에서는 SK바이오사이언스가 개발한 스카이조스터가 시판됐지만 조스타박스와의 비교임상실험을 통해 면역원성이 열등하지 않다는 결과만 공개했다. 예방률이 어느정도인지는 공개하지 않아 임상 근거가 부족하다. 따라서 국내에도 싱그릭스가 도입된다면 해외 상황과 같이 GSK의 싱그릭스가 시장을 장악할 것으로 보인다. [73]

---

70) 노컷뉴스, 에볼라, 40년째 백신 없는 이유 알고보니, 김구연, 2014.08.04
71) 수만명 목숨 구한 WHO의 '도박'…머크의 미승인 백신 긴급투여 결정, news1뉴스, 성재준, 2019.07.22
72) 헬스코리아뉴스, 내성 가진 페스트 등장 … 백신개발은 언제?, 박정식, 2019.08.01
73) 의협신문, 美 시장 잠식 대상포진백신 '싱그릭스', 중국서도 허가, 최원석, 2019.05.24

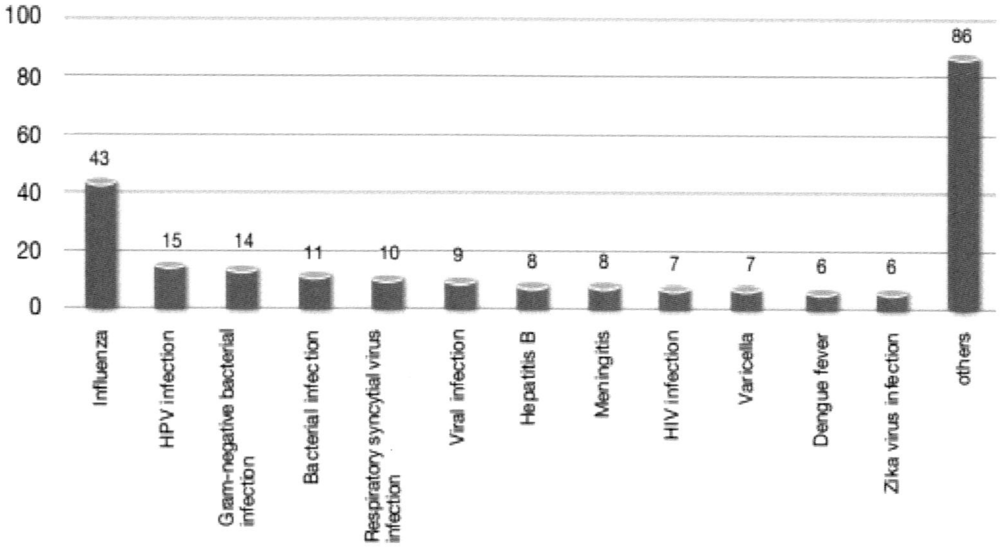

출처 : IQVIA, 21.11.25, 한국바이오의약품협회 가공

그림 55 적응증별 백신 개발 현황 (2021년 11월 기준)

2021년 11월 기준 코로나19 백신을 제외한 글로벌 백신의 적응중별 연구개발 현황을 살펴보면, 인플루엔자가 43건으로 가장 많았으며, HPV 감염이 15건, 그람음성 박테리아감염이 14건, 박테리아 감염이 11건으로 뒤를 이었다. 기타 적응중 임상은 86건으로, 치료용 암백신과 연구 개발 3건 이하인 백신들이 포함되어 있다.

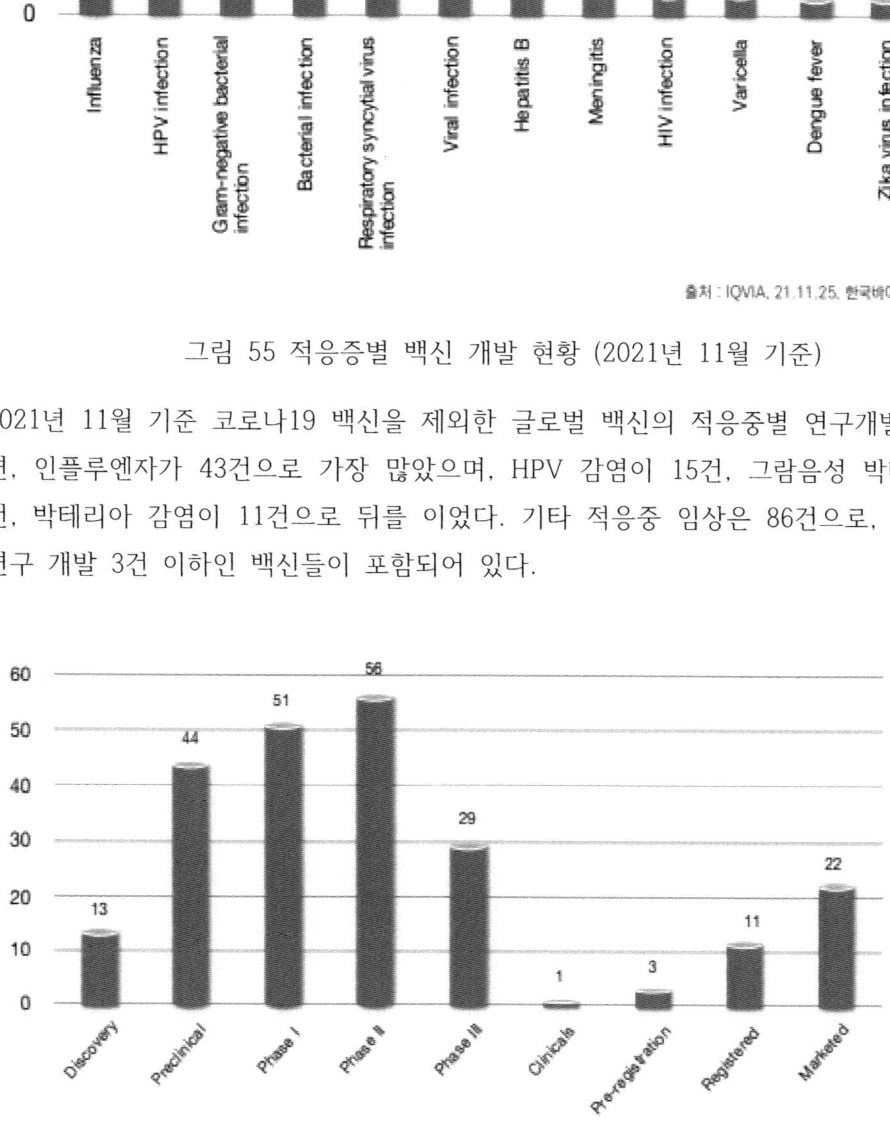

출처 : IQVIA, 21.11.25, 한국바이오의약품협회 가공

그림 56 개발단계별 백신 개발 현황 (2021년 11월 기준)

동일시기 코로나19 백신을 제외한 글로벌 백신의 개발단계별 연구 개발 현황은, 임상 2상이 56건으로 가장 많았으며, 임상 1상이 51건, 비 임상이 44건으로 뒤를 이었다. 사전 등록단계를 포함하여 상용화 된 백신은 총 36개였으며, 단계를 알 수 없는 임상시험은 1건이었다.

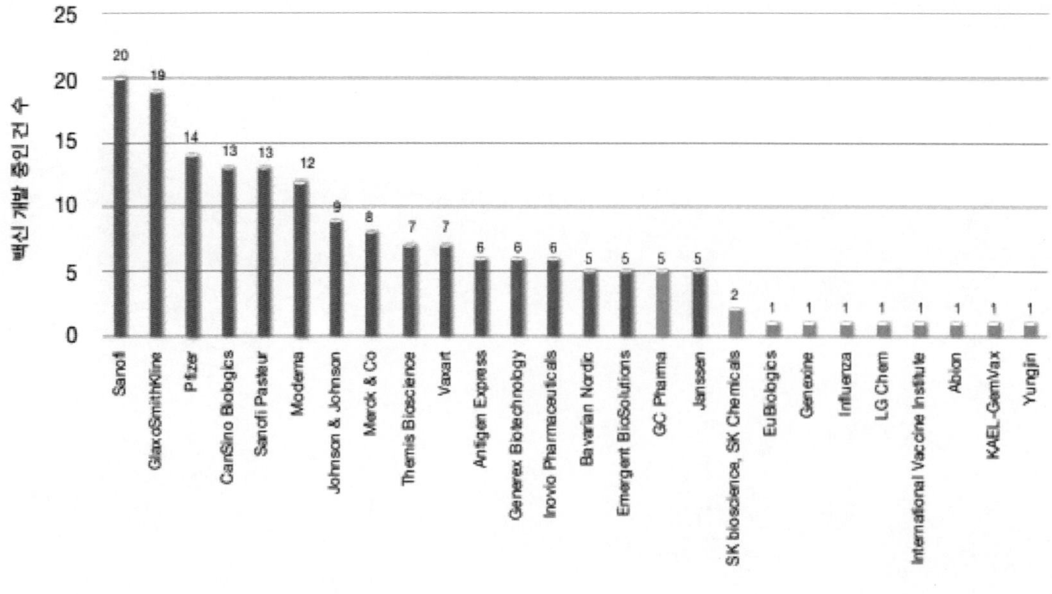

출처 : IQVIA, 21.11.25, 한국바이오의약품협회 가공

그림 57 기업별 백신 개발 현황 (2021년 11월 기준)

2021년 11월 기준 글로벌 백신의 기업별 연구 개발 현황은 Sanofi가 20건으로 가장 많았고, GlaxoSmithKline이 19건, Pfizer가 14건, Cansino Biologics와 Sanofi Pasteur가 각각 13건을 기록했다. 국내 기업으로는 녹십자가 5건의 백신 연구 개발을 진행 중이며, SK바이오사이언스와 SK케미컬이 각각 1건, 유바이오로직스, 진원생명과학, 제넥신, LG화학, 국제백신연구소, 에이비온, 젬백스앤카엘, 영진약품이 각각 1건씩 진행하고 있는 것으로 나타났다.

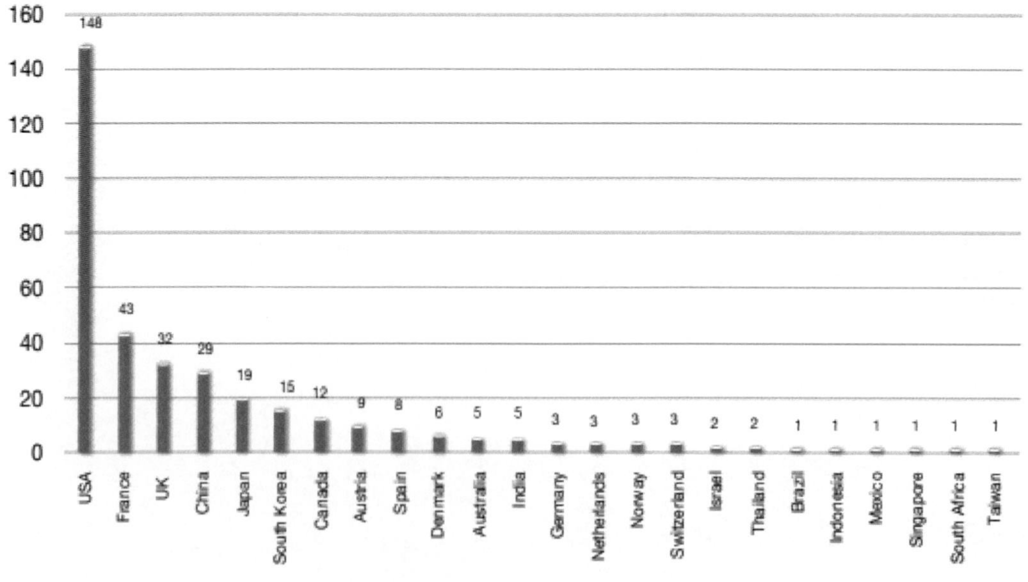

출처 : IQVIA, 21.11.25, 한국바이오의약품협회 가공

그림 58 국가별 백신 개발 현황 (2021년 11월 기준)

한편, 국가별 백신 연구개발 현황에서는 미국이 148건으로 1위를 차지하고, 프랑스가 43건, 영국이 32건, 중국이 29건, 일본이 19건이었으며, 우리나라가 15건으로 6위를 차지했다.

3) 환경분석

가) CRO와 CDMO

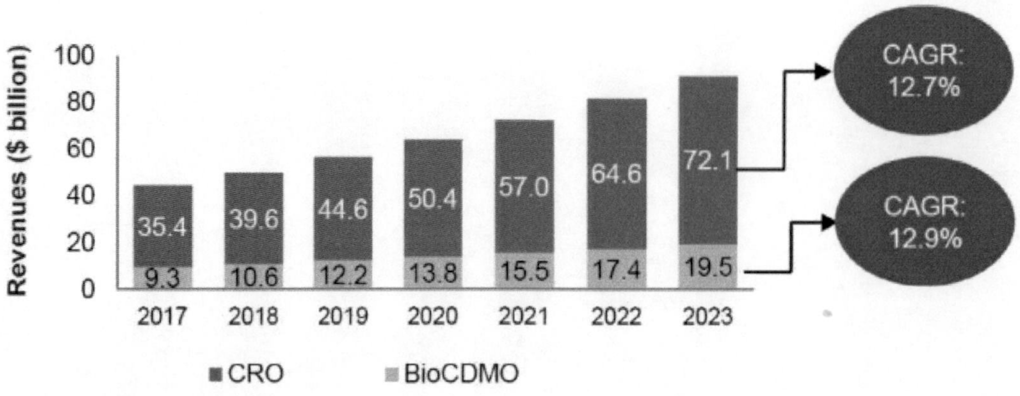

그림 42 CRO와 CDMO 시장

제약 및 바이오 기업들의 복잡한 임상시험을 대신해주는 CRO(임상시험대행업체) 사업이 성장하고 있다. 최근 경향은 단순히 임상시험만 대행하는 것이 아니라 임상시험 설계, 허가대행, 시판 후 관리 등 확장되고 있다. 전 세계 CRO 시장 규모는 2017년에 345억 달러(한화 약 40조원)이며 2023년에는 721억 달러(한화 약 82조원) 규모를 보일 것으로 예측했다. CRO시장이 확대되는 이유는 신생 바이오벤처들이 증가하고 있기 때문이다. 신생 바이오벤처는 환자 모집, 시험 의료기관 및 임상의 선정, 데이터 관리, 허가 신청 등의 복잡한 절차를 진행할 인프라가 부족하기 때문이다. 또한 제약 및 바이오 기업 특성 상 전임상부터 3상까지 긴 임상기간을 자체적으로 하기에는 비용과 시간 측면에서 부담스럽기 때문이다. 또한 기술 수출 등의 해외시장을 겨냥한 제품은 현지 규제기관과 소통되는 해외 CRO를 선호하고 있다.

CDMO는 Contract Development & Manufacturing으로 의약품 위탁 개발 및 생산 기관이다. 제약 및 바이오 기업들과 계약을 통해 CMO영역을 넘어 후보물질 개발, 생산공정, 임상, 상용화 등의 신약개발 과정을 위탁 개발 및 생산하는 산업 영역이다. CDMO 시장의 경우 2017년에 93억 달러(약 10조원)에서 2023년 195억 달러(약 22조원)규모에 달할 것으로 예측했다. 국내 SK그룹은 2017년에 국내 바이오 제약사에 최초로 글로벌 인수합병을 성사시켰다. 미국 CDMO 기업 AMPAC 지분 100%를 인수하여 3년간 CDMO사업에 8500억원을 투자했다. 생산능력이 60만 리터에 이르는 AMPAC을 인수해 한국, 아일랜드, 미국에 이르는 생산 거점을 통해 총 100만 리터의 생산능력을 확보했다. SK는 단숨에 글로벌 CDMO로 고성장 중이고 2020년까지 160만 리터로 확대할 계획이다. 국내 바이오 기업들 중 셀트리온과 삼성바이오로직스도 CDMO사업 진출을 시작했다. [74][75]

---

74) Dailypharm, 바이오 붐에 'CRO·CDMO' 뜬다…연 13% 고성장 전망, 김진구, 2019.02.26
75) MK, "복잡한 임상시험 맡기세요"…CRO 신산업 뜬다, 김병호, 2019.05.20

나) M&A[76]

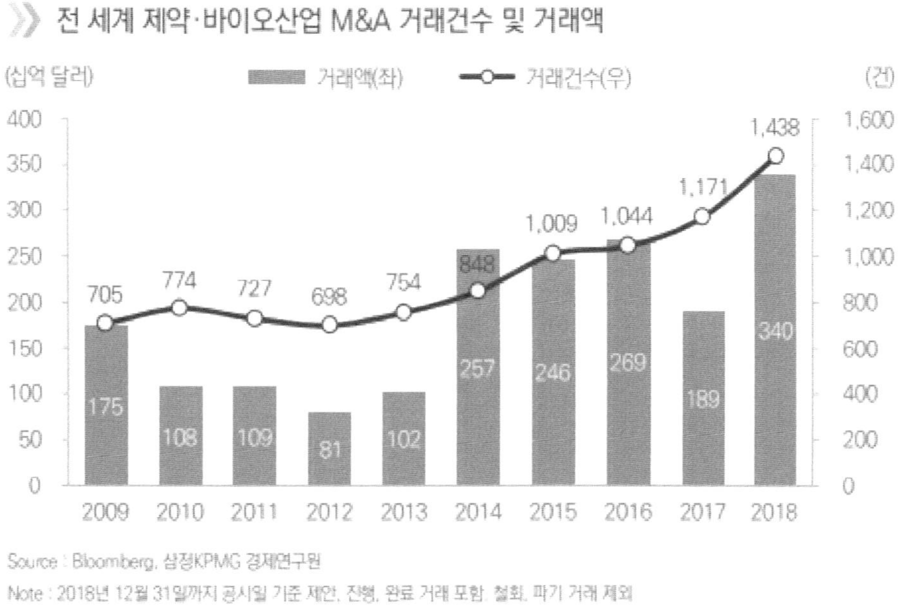

그림 43 제약 및 바이오 산업의 M&A

2018년 제약 및 바이오산업의 M&A는 총 거래건수 1,438건이며 거래액 3,396억 달러를 나타냈다. 2018년 거래건수와 거래액 모두 최근 10년 간 최대치를 기록했다. 올해 1월에도 글로벌 제약사 BMS를 시작으로 화이자, 다케다 등이 인수합병을 추진했다. 제약 분야의 인수합병은 신약에 대한 기회 선점 경향이 매우 강하다. 따라서 기업들은 수익성이 높은 신약에 주목하고 신약 시장을 선점하기 위해 인수합병을 추진한다. 최근 제약 및 바이오 분야의 벤처투자 회수 전략으로 M&A가 더욱 활기를 띨 것으로 예상된다. 바이오벤처의 경우 기술과 아이디어는 있지만 지속적인 자본력이 없다. 빅파마는 자본력과 기술력을 동시에 가졌고, 바이오벤처를 인수하게 된다면 자사가 보유한 파이프라인에 적용해 새로운 제품을 개발할 수 있기 때문이다.

---

76) M&A로 본 제약·바이오산업, 삼성KPMF 경제연구원

(단위: 억달러)

연도	인수기업	피인수기업	피인수기업 핵심 품목	인수액
2018	Takeda	Shire	희귀질환 치료제	809
	Sanofi	Bioverative Therapeutics	혈액 치료제	116
	Celgene	Juno Therapeutics	CAR-T 세포치료제	79
2019	BMS	Celgene	면역 치료제	740
	GSK	TESARO Therapeutics	항암제(항체의약품)	51
	Roche	Spark Therapeutics	유전자 치료제	43
2020	AstraZeneca	Alexion Pharmaceuticals	희귀질환 치료제(항체의약품)	390
	Gilead Sciences	Immunomedics	ADC	210
	Johnson & Johnson	Momenta Pharmaceuticals	자가면역질환 치료제(항체의약품)	65
	Bayer	Asklepios BioPharmaceutical	유전자 치료제	20
2021	Amgen	Five Prime Therapeutics	면역·표적항암제	19
	Takeda	Maverick Therapeutics	이중항체	5.3
	Sanofi	Tidal Therapeutics	mRNA 치료제	3.1
	Merck	AmpTec	mRNA CDMO	0.3

그림 61 연도별 바이오의약품 기업 M&A 주요 현황

mRNA 관련 기업과 희귀의약품, 항암제, 세포치료제 및 유전자치료제 등 3세대 바이오 의약품 중심의 파이프라인 및 기술력을 보유한 기업 인수 경향이 나타나고 있다.

》 제약·바이오 동종산업 vs 이종산업 M&A 거래건수 추이

Source : Bloomberg, 삼정KPMG 경제연구원
Note : 2018년 12월 31일까지 공시일 기준 제안, 진행, 완료 거래 포함. 철회, 파기 거래 제외

그림 44 제약업계와 이종산업간의 M&A

제약 및 바이오산업과 이종산업간의 인수합병이 꾸준히 증가하고 있다. 보통 헬스케어, 농업, 유통 등과의 인수합병이 추진되었으나 최근 정보통신 기업들을 인수하여 바이오분야에 접목하고 있다. 제약 및 바이오산업의 인수합병 거래건수는 미국 기업이 630건으로 가장 많았고 그 뒤로 캐나다, 중국, 영국이 장악하고 있다. 전반적으로 북미 기업들이 인수합병을 주도하고 있고, 신흥시장인 중국관련 인수합병도 꾸준히 증가하고 있는 추세이다.

다) R&D

글로벌 제약기업들의 자체 R&D투자도 큰 영향을 미쳤지만 미국 정부의 지원도 큰 역할을 하였다. 미국 연방정부의 보건의료 분야 R&D 예산의 90%는 NIH를 통해 집행되며, FY2020의 NIH 예산은 약 343.7억 달러 규모로 신약 개발 R&D를 추진하고 있다.

(단위: 백만달러)

	2016	2017	2018	2019	2020	2021
Stem cell	1,516	1,646	1,824	2,014	2,129	1,934
Gene therapy	265	266	315	391	421	
Vaccine	1,773	1,823	2,022	2,236	2,388	2,166

출처: NIH(2020)

그림 63 NIH 바이오의약품 분야 R&D 투자 규모

NIH는 산하 27개 연구소 및 센터들을 통한 자체 연구와 외부 연구 지원을 통해 기초과학과 응용지식 연구를 추진하는데, 기초연구에 예산의 50%이상 지원하고 있으며, 초기 단계의 R&D자금을 지원하여 신약 개발의 가능성을 확인하고 가능성이 보이면 그 기술을 기업으로 이전해 상용화한다. NIH의 자금 지원은 FDA승인 의약품 개발에 필요한 초기 연구에 중요한 역할을 하며, 특히 SARS와 MERS발병 이후 지속적으로 코로나 바이러스에 대해 연구를 진행했다. 연구 결과는 NIH와 공동 연구 중이던 모더나의 백신 개발에 유리한 위치를 점하게 하는데 큰 영향을 주었다.

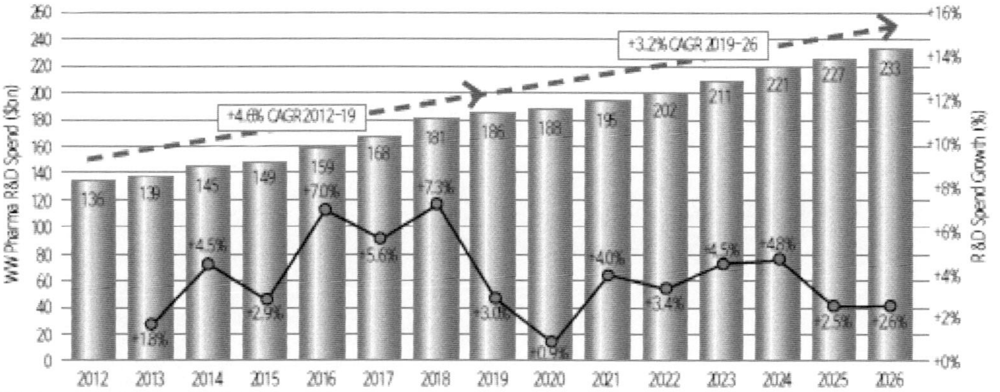

출처: Evaluate Pharma(2020)

그림 64 글로벌 제약기업 R&D 지출 규모 전망

전 세계 제약 바이오 기업의 신약 개발 R&D투자 규모는 2019년 1,890억 달러로 향후(2019부터~2026년까지) 연평균 3.2% 증가하여 2026년에는 2,330억 달러로 확대될 전망이다. R&D 투자 증가율은 2012년~ 2019년까지의 연평균 성장률 4.6% 대비 감소한 것으로 매출액에서 R&D투자액이 차지하는 비율도 2018년을 기점으로 점차 감소하고 기업들의 매출액 대비 평균 R&D투자비는 2015년 19.7%에서 2018년 21.5%, 2022년에는 19.5%, 2026년에는 16.7%로 감소할 것으로 전망된다.

2019년 글로벌 상위 10개 기업들의 R&D규모는 716억 달러로 평균적으로 매출액의 21.6%를 R&D에 투자하고 있으며 전체 기업 기준으로는 매출액의 21.4%를 R&D에 투자하고 있다.

순위	기업	R&D 지출액(십억달러)			매출액/R&D 지출액 비율(%)		
		2019	2026	CAGR	2019	2026	변화율
1	Roche	10.3	12.9	+3.3	21.3	21.2	-0.1
2	Merck	8.7	11.0	+3.3	21.3	20.6	-0.7
3	J&J	8.8	10.7	+2.8	22.0	19.1	-3.0
4	Novartis	8.4	9.7	+2.1	18.2	17.7	-0.4
5	Pfizer	8.0	9.7	+2.7	18.2	18.9	+0.7
6	BMS	5.9	9.4	+6.9	23.4	21.0	-2.4
7	GSK	5.5	7.6	+4.6	17.7	18.6	+0.9
8	AstraZeneca	5.3	7.5	+5.1	22.9	18.3	-4.6
9	Abbvie	5.0	7.3	+5.6	15.4	13.9	-1.6
10	Eli Lilly	5.6	7.0	+3.3	27.9	22.7	-5.0
상위 10개 기업		71.6	92.8	+3.8	21.6	20.4	-1.2
기타		114.6	139.7	+2.9			
합계		**186.1**	**232.5**	**+3.2**	**21.4**	**16.7**	**-4.6**

출처: Evaluate Pharma(2020)

그림 65 주요 제약기업 R&D 지출규모 전망

제약기업의 직접적 투자뿐만 아니라 벤처캐피탈(VC)투자도 바이오의약품 민간 R&D 투자의 주요 재원으로 신약 개발 분야에 투자하는 자금이 지속적으로 증가하고 있다. 미국의 경우 바이오헬스 분야의 VC투자액 및 자금 조달 액은 매년 증가하고 있으며 건당 투자액도 타 산업 대비 가장 높은 수준인데 특히 바이오의약품 분야의 경우 소프트웨어 분야 다음으로 VC투자가 활발하게 이루어지는 분야로 2006년 45억 달러에서 2019년 166억 달러 규모로 증가하고 있다.

코로나19 팬데믹에 대응하기 위한 백신 및 치료제 개발을 위해 전 세계 정부 및 기관에서 대규모의 R&D투자 및 선 구매 투자가 이루어지고 있다.

(단위: 억달러)

기업	유형	계약 규모	세부 내역	접종 횟수	임상단계(효과)	보관
화이자·바이오엔텍	mRNA	59.70	3억 도스 선구매	2	임상2/3(95%) 긴급사용승인	영하 70도 보관
모더나		49.40 9.54	3억 도스 선구매 R&D	2	임상3(95%) 긴급사용승인	영하 20도(6개월) 영하 2~8도(30일)
AZ·옥스포드대학교	Viral vector	12.00	3억 도스 선구매	2	임상2/3(70%)	영하 2~8도
얀센		10.00 4.56	1억 도스 선구매 R&D	1	임상3(72%) 긴급사용승인	영하 2~8도(3개월)
노바백스	단백질	16.00	1억 도스 선구매		임상3(95.6%)	영하 2~8도
사노피·GSK		20.40 0.30	1억 도스 선구매 R&D	2	임상1/2상	영하 2~8도

출처: Congressional Research Service(2021.3.1)

그림 66 코로나19 백신 OWS 기업별 지원내역(21년 3월 기준)

전 세계 정부 및 기관에서 백신 R&D에 투자한 금액은 약 76.3억 달러 규모로 미국과 독일,

영국, EU 등 선진국을 중심으로 백신 R&D투자 규모가 컸으며, 선 구매 계약 규모까지 고려하면, EU, 미국 순으로 나타났다. 선 구매 계약도 R&D 단계에서 비즈니스 위험을 줄이는 인센티브로 작용할 수 있기 때문에 선 구매 계약 규모를 R&D투자에 포함할 경우, 글로벌 코로나19 선구매 계약이 많은 EU와 미국이 대부분을 차지했다.

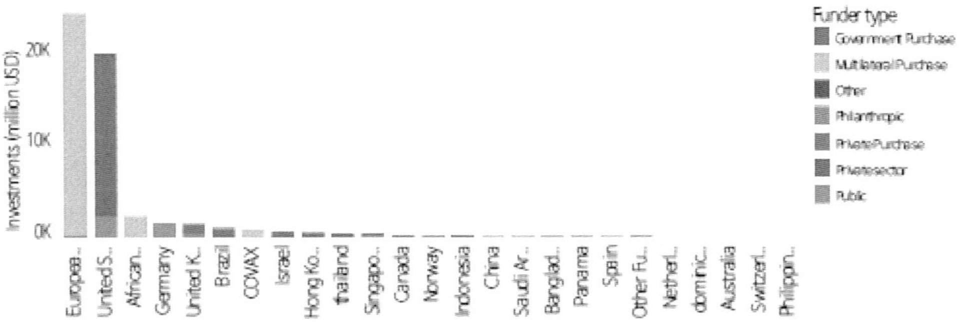

(단위: 백만달러)

구분	공공-다자구매[99]	공공-정부구매	공공	민간	자선	합계
EU	22,537.5		330.9			22,868.4
미국		16,372.5	2,289.5	7.5	58.3	18,727.8
아프리카연합	2,200.0					2,200.0
독일			1,507.2			1,507.2
영국		858.0	499.6		1.6	1,359.2

출처: The Knowledge on Innovation and Access to Medicines(2021.7.8)

그림 67 국가별 코로나19 백신 R&D투자 현황 (선 구매 계약 포함) 2021년 7월 기준

글로벌 제약사의 신약 연구개발 비용은 2015년 1498억 달러(한화 160조 5107억 원)에서 연평균 2.8% 증가하며 2022년에는 1820억 달러(한화 195조 130억 원)으로 성장할 것으로 예측했다. 그 중 글로벌 제약사 9곳(노바티스, 존슨앤존슨, MSD, 화이자, 사노피, 아스트라제네카, GSK, BMS, 일라이 릴리)의 연구개발 비용만 612억 달러(한화 약 63조원) 규모를 투자했다. 2017년도 BMS, 존슨앤존슨, 셀진 등은 10억 달러(한화 1조 715억원) 이상의 R&D 투자비용을 추가 지출하였다. 9개의 다국적 제약사의 매출액 대비 R&D 비중은 평균 19.2% 이다. BMS는 매출액의 30%를 R&D 비용으로 투자했으며 그 뒤로 일라이릴리 24.3%, 아스트라제네카가 23.6%이다. 9곳 중 가장 낮은 R&D 투자는 존슨앤존슨으로 매출액 대비 12.3%를 차지하고 있다. [77]

한국글로벌의약산업협회가 국내 다국적 제약사 28개 회원사를 대상으로 '2017년 국내 R&D 투자현황'을 조사했다. 조사에 따르면 국내에 진출한 다국적 제약사의 경우 지난해 연구개발 비용은 5.9% 증가했고, R&D 인력 채용은 10.4% 증가했다. 다국적 제약사의 R&D 비용은 2016년 2558억 원에서 2017년 2710억 원으로 5.9% 증가했다. R&D 인력 채용은 2016년도

77) 헬스코리아뉴스, 걸음마 뗀 국내 제약 R&D … 아직 갈 길 멀다, 이순호, 2018.03.01

1386명에서 2017년 1530명으로 10.4% 증가했다. 또한 임상연구 건수는 1631건을 기록하며 전년대비 20.5% 증가했다.
그러나 국내 제약사의 경우 연구개발 투자에서 양극화 양상이 나타났다. 금융감독원에 따르면 코스피 상장 제약사 36곳의 R&D 투자비용은 총 4753억 원으로 전년대비 4.7% 증가했다. 전체 매출액은 5조 4406억 원으로 전년보다 4.8% 증가했다. 이는 매출 성장률과 유사한 수준으로 R&D 투자를 확대한 것이며, R&D 투자 비율은 8.7%를 기록했다. 셀트리온, 한미약품, 일동제약, 삼진제약이 연구개발 투자비용을 늘렸으나 그 외의 기업은 작년 수준으로 유지하거나 오히려 줄이는 추세이다. 이 중 매출의 10% 이상을 연구개발에 투자한 제약사는 한미약품, 동아에스티, 녹십자, 대웅제약 등이 있다. [78][79][80]

업계 전문가들은 국내 제약사들 중 일부는 다국적 제약사의 R&D 비용과 비슷한 수준가지 올라왔지만, 절대 금액에서 큰 차이가 있다고 전했다. 이러한 상황에서 다국적 제약사와의 차별화를 위해서는 획기적인 R&D 투자전략을 모색할 필요성이 있다.

78) 디지털타임스, 다국적제약사 R&D 투자 확대... 전년비 인력 10.4%·비용5.9%↑
79) ChosunBizm, 제약사 R&D도 '부익부 빈익빈'...올 상반기 매출 10% 이상 투자 4곳,
80) 바이오스펙테이터, 제약사 3곳 중 2곳 연구비↑..부광, R&D비율 '22%'

라) 연구협력 및 라이센스

신약개발의 필수요소로 연구협력과 라이센싱이 자리잡으면서, 동시에 신약탐색 및 발굴과정과 임상시험 관리과정 등 신약개발과정중 일부를 아웃소싱하는 글로벌 아웃소싱 역시 중요도가 높아지고 있다. 미국 주요 제약사들은 높은 바이오기술력을 라이센싱인(In-licensing)하는 트렌드이며 최근에는 상대적으로 경쟁이 적은 희귀질환분야로 전환하고 있는 추세이다.

라이센스 인/아웃은 특허 만료 및 파이프라인의 축소로 위기를 겪고 있는 대형제약회사와 신약 후보 물질을 상업화하기엔 자본력과 기술력이 없는 바이오텍 회사 모두에게 리스크와 비용을 사가 최소화하는 파트너십 전략이다.

최근에는 개발파이프라인 확보를 위해 바이오벤처를 통째로 매입하는 사례도 늘고 있다.[81]

▷ 사례

MSD는 2018년 12월 Instituto Butantan의 뎅기열 백신 후보 TV003를 공동 연구를 계약했다.

MSD는 2018년 5월 Moderna의 mRNA-5671의 공유 항원 mRNA 암백신을 포함한 새로운 맞춤형 mRNA 암 백신 개발 및 상용화하기로 했다.

---

81) 인텔리콘 법률사무소, 라이센싱6부-바이오·제약 분야의 라이센싱

05 백신 제약기업 현황

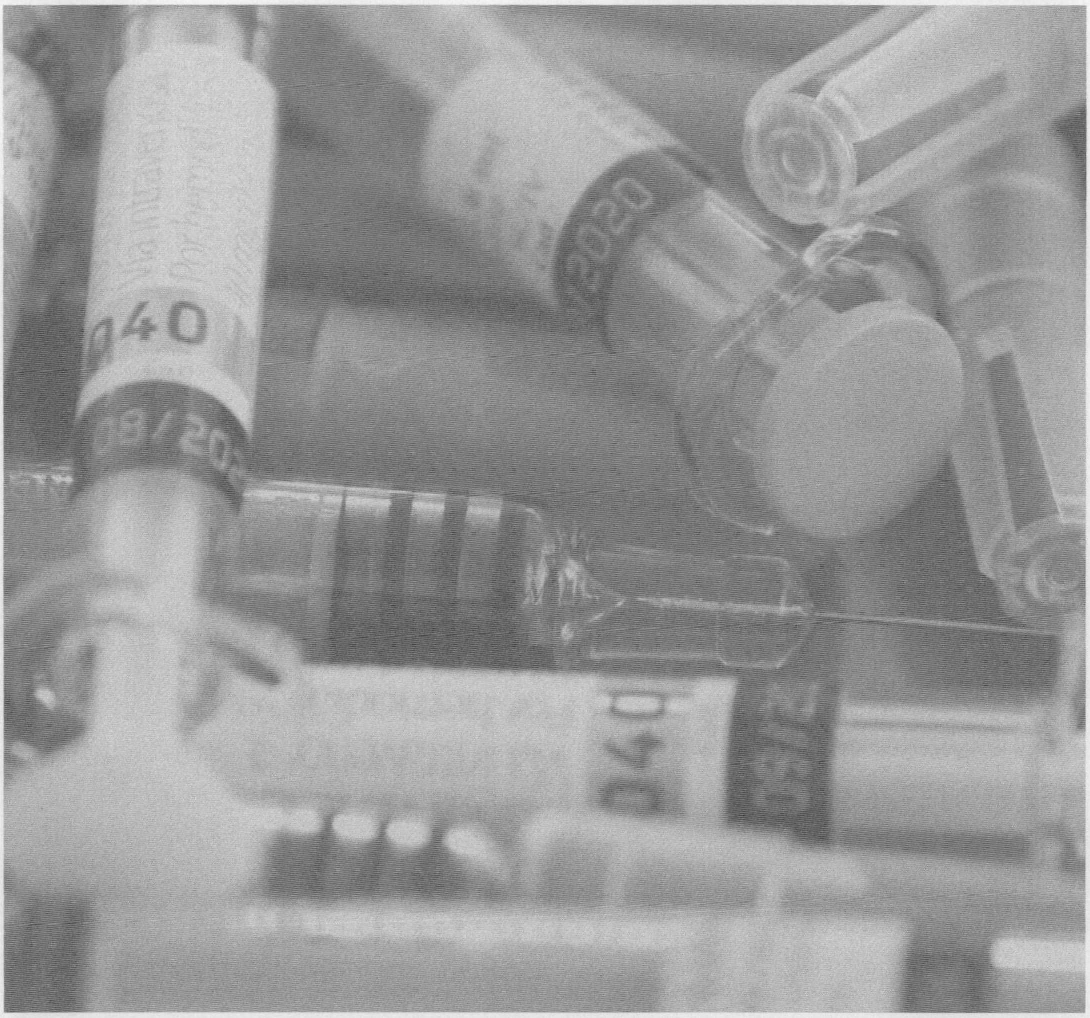

5. 백신 제약기업 현황

가. 국외 제약기업

1) GSK

▷ 개요

소재지 : Brentford, London
사원수 : 94,000 (2021년)
웹사이트 : https://www.gsk.com/en-gb/
시가총액 : $111.210 (134조 9,759억원)(2022.04.05.기준)
매출액 : $34.1 billions (2021)

GSK는 연구개발 중심의 글로벌 헬스케어 기업으로 제약, 백신, 컨슈머 헬스케어 분야를 중심으로 제품을 연구개발하고 있다. 세계 150개국 이상에 진출해 있으며 영국, 미국, 벨기에, 중국을 비롯한 4개국에 첨단 R&D시설과 전세계 36개국에 89개의 제조망을 갖추고 있다. GSK의 백신사업부는 160개국 사람들에게 매일 평균 200만 도스의 백신을 개발·생산·공급하고 있다. 백신 포트폴리오는 30여 종에 달하며, 영유아에서부터 성인에 이르기까지 로타바이러스, HPV 감염, 디프테리아, 파상풍, 백일해, 풍진, 세균성 뇌수막염 및 인플루엔자 등의 질환을 예방하고 있다. 현재 R&D관련 파트너십은 100여개에 이르고 있고, HIV나 결핵 백신 등의 새로운 백신 분야에 지속적으로 투자하고 있다. 또한 최근 소비자 건강관리 사업을 개발하기 위한 전략적 움직임으로 Haleon이 만들어졌는데, GSK 컨슈머 헬스케어 사업 분할에 따라 새로운 독립회사로 설정되었다. 2022년 7월 Haleon의 분할 및 상장 예정이다.

▷ 주요 제품

<table>
<tr><td colspan="2">부스트릭스 프리필드시린지</td><td colspan="2">멘비오</td><td colspan="2">하브릭스 주</td></tr>
<tr><td colspan="2"></td><td colspan="2">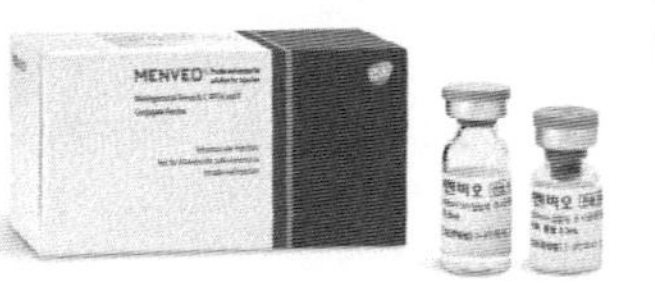</td><td colspan="2">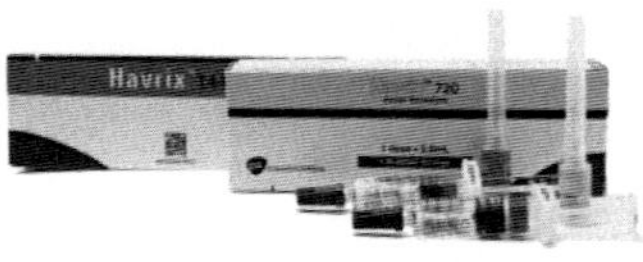</td></tr>
<tr><td colspan="3">프리오릭스 주</td><td colspan="3">서바릭스 프리필드시린지</td></tr>
<tr><td colspan="3">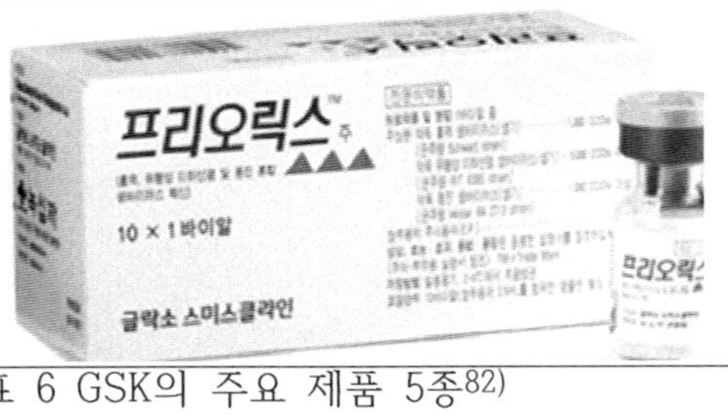
</td><td colspan="3">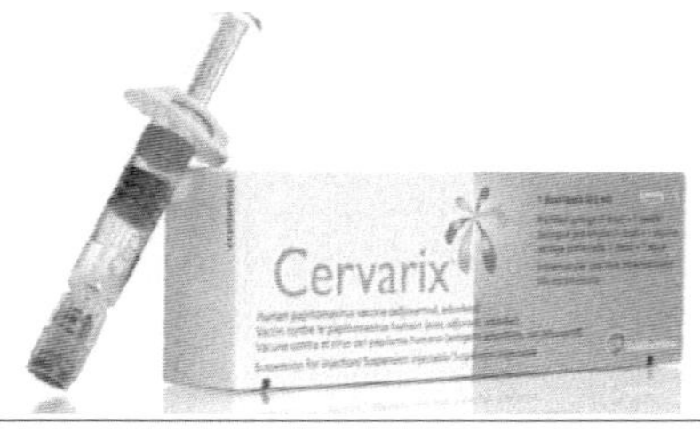
</td></tr>
</table>

표 6 GSK의 주요 제품 5종[82]

82) 에너지경제 'SK바이오사이언스, GSK와 주요백신 5종 공동판매 계약 체결'

▷ 주요 파이프라인(2019.07.24.기준)

제품명	적응증	개발단계
Menveo	Meningococcal A, C, W, Y disease prophylaxis in adolescents	Registration
Bexsero	Meningococcal B disease prophylaxis in infants (US)	Phase III
Rotarix	Rotavirus prophylaxis (US)	Registration
MMR	Measles, mumps, rubella prophylaxis (US)	Registration
Varicella New Strain	Active immunization for the prevention of varicella in individuals from 12 months of age and older	Phase II
COVID-19 plant-derived virus-like particles vaccine (Medicago)	COVID-19	Registration (3)
COVID-19 vaccine (Sanofi)	COVID-19	Phase III
COVID-19 vaccine (SK Bioscience)	COVID-19	Phase III
Shigella	Shigella diarrhoea prophylaxis	Phase II
Men ABCWY (1st Gen)	Meningococcal A, B, C, W,Y disease prophylaxis in adolescents	Phase III
RSV	Respiratory syncytial virus prophylaxis in paediatric population	Phase III
RSV	Respiratory syncytial virus prophylaxis in pregnant woman population to prevent respiratory syncytial virus lower respiratory tract illness in infants during first months of life by transfer of maternal antibodies	Phase III
Bexsero	Meningococcal B disease prophylaxis in infants (US)	Phase III
S. aureus	Active immunization for the prevention of primary and recurrent Soft-Skin-Tissue Infections caused by S. aureus	Phase II
Men ABCWY (2nd Gen)	Meningococcal A, B, C, W,Y disease prophylaxis in adolescents	Phase II

표 7 GSK의 주요 백신 파이프라인

2) MSD(Merck Sharp & Dohme Corp., Merck & Co.)

▷ 개요

MSD INVENTING FOR LIFE

소재지 : Kenilworth, N.J., U.S.A.
사원수 : 74,000 (2020 기준)
웹사이트 : http://www.msd.com/index.html
시가총액 : $157 billion (2022.04.07.기준)
매출액 : $ 47.9 billion (2020)

미국 뉴저지에 본사를 둔 글로벌 헬스케어 기업으로, 미국과 캐나다에서는 머크(Merck)라는 이름으로 알려져 있다. 125년에 역사를 가진 기업으로 혁신적인 의약품, 백신, 바이오 치료제 및 동물의약품을 분야를 연구 및 개발 중에 있다. 2009년 MSD와 쉐링푸라우 사의 합병으로 MSD는 전 세계적인 규모의 헬스케어 기업으로 거듭났다. MSD는 북미, 유럽, 아시아 등 세계 각지에 9개의 연구소를 운영 중이고 약 17,000명의 과학자들이 연구에 몰두하고 있다. 또한 연구개발에만 매출의 25%에 달하는 10조 9천억 원(2017년 연구개발 투자비용)을 투자해 기술 혁신을 추구하고 있다.

▷ 주요제품

가다실®9주/ 가다실®9프리필드시린지	코자	로타텍®액
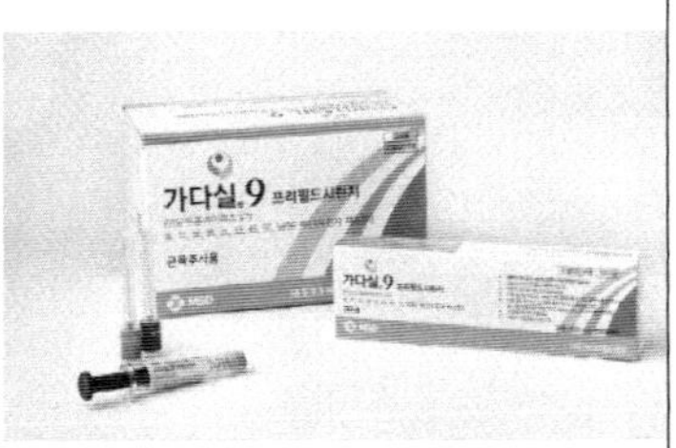	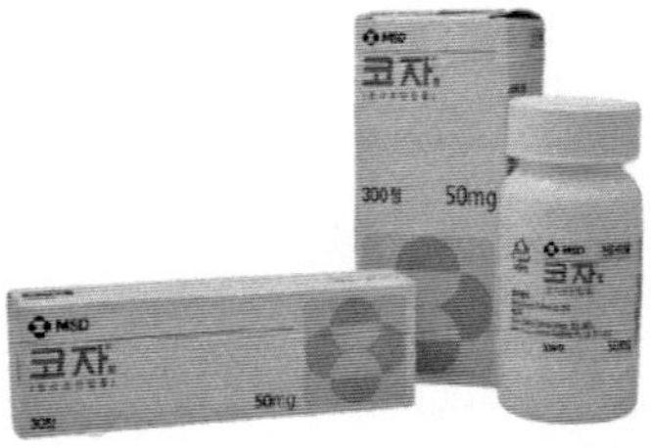	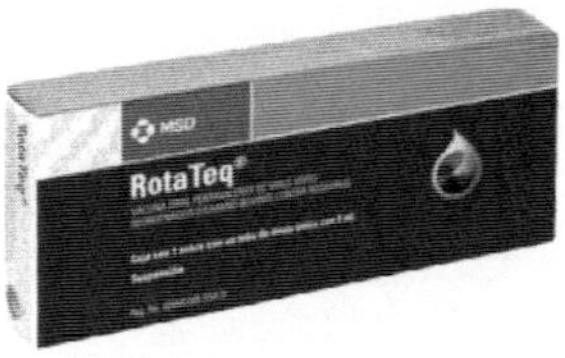

키트루다	레메론	아토젯	자누메트
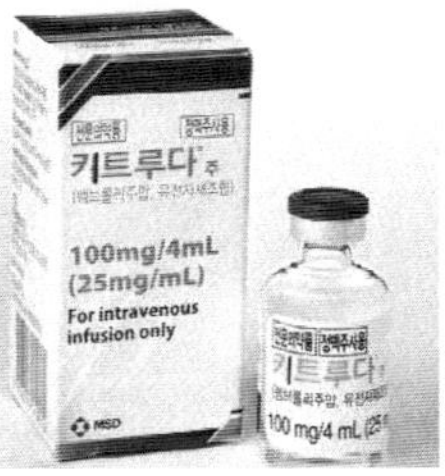	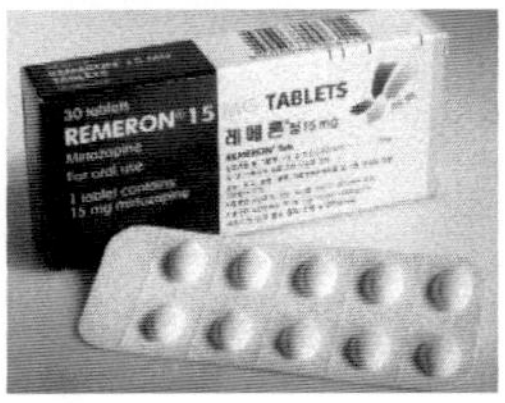		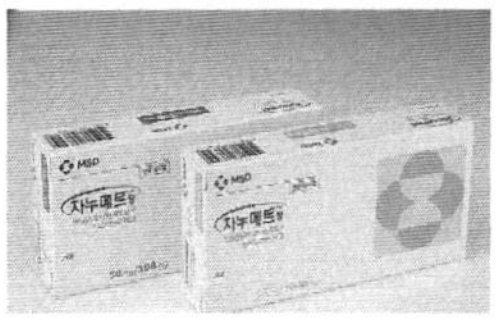

표 8 MSD의 주요 제품 7종

▷ 주요 파이프라인

2022년 2월 22일 기준으로 임상2상은 75개의 제품, 임상3상은 28개의 제품, 검토 중인 제품은 총 3건이다.

MSD pipeline as of Feb 22, 2022

1. Being developed in a collaboration.
2. Being developed in combination with Keytruda
3. Being developed as monotherapy and/or in combination with Keytruda

▶ Moved forward since last pipeline update.

Phase 2	Phase 2	Phase 2	Phase 2	Phase 2
Cancer NSCLC **MK-0482[2]**	Cancer Heme nemtabrutinib **MK-1026**	Cancer NSCLC quavonlimab **MK-1308[2]**	Cancer CRC Hepatocellular **SCLC** Melanoma Advanced Solid Tumors quavonlimab+ pembrolizumab **MK-1308A**	Treatment Resistant Depression **MK-1942**
Cardiovascular **MK-2060**	▶ Cancer Breast Heme NSCLC zilovertamab vedotin **MK-2140**	Cancer Advanced solid tumors **KEYTRUDA®** **MK-3475**	NASH **MK-3655**	Cancer Heme NSCLC favezelimab **MK-4280[2]**
Cancer RCC SCLC favezelimab+ pembrolizumab **MK-4280A**	▶ Cancer NSCLC RCC SCLC **MK-4830[2]**	Pulmonary Arterial Hypertension **MK-5475**	Cancer NSCLC SCLC **MK-5890[2]**	NASH **MK-6024**

MSD 3

Phase 2	Phase 2	Phase 2	Phase 2	Phase 2
Breast Esophageal Gastric HNSCC Melanoma NSCLC Prostate SCLC ladiratuzumab vedotin **MK-6440[1,3]**	▶ Cancer Biliary Certain VHL tumors (EU) CRC HCC Pancreatic Rare cancers **WELIREG™** **MK-6482[3]**	Overgrowth syndrome miransertib **MK-7075**	Cancer Advanced Solid Tumors Biliary Bladder Cervical CRC Endometrial Gastric NSCLC **TUKYSA®** **MK-7119[1]**	Cancer Advanced solid tumors **LYNPARZA®** **MK-7339[1,3]**
Cancer Melanoma vibostolimab **MK-7684[2]**	▶ Cancer Biliary Breast Cervical **Endometrial** Esophageal **HCC** Heme **HNSCC** Prostate vibostolimab+pembrolizum ab **MK-7684A**	Cancer Biliary Glioblastoma Pancreas Prostate SCLC **LENVIMA®** **MK-7902[1,2]**	Schizophrenia **MK-8189**	HIV-1 Infection Islatravir+MK-8507 **MK-8591B[4]**
HIV-1 Infection Islatravir+lenacapavir **MK-8591D[1,4]**	Pneumococcal Vaccine Adult **V116**	Chikungunya virus Vaccine **V184**	Cancer Breast Cutaneous Squamous Cell Carcinoma HNSCC Melanoma Solid Tumors **V937**	

MSD 4

MSD pipeline as of Feb 22, 2022

1. Being developed in a collaboration.
2. Being developed in combination with Keytruda
3. Being developed as monotherapy and/or in combination with Keytruda
4. On FDA clinical hold

▶ Moved forward since last pipeline update.

Phase 3	Phase 3	Phase 3	Phase 3
Cancer RCC quavonlimab+ pembrolizumab **MK-1308A**	▶ Respiratory syncytial virus clesrovimab **MK-1654**	Cancer NSCLC Pembrolizumab subcutaneous **MK-3475**	Cancer Biliary Cutaneous Squamous Cell Carcinoma (EU) Gastric (EU) Hepatocellular (EU) Mesothelioma Ovarian Prostate SCLC **KEYTRUDA®** **MK-3475**
▶ Cancer CRC favezelimab+ pembrolizumab **MK-4280A**	Anti-Viral COVID-19 molnupiravir **MK-4482[1] (US)**	Cancer RCC **WELIREG™** **MK-6482[3]**	Cancer Breast **TUKYSA®** **MK-7119[1]**
Cancer Colorectal NSCLC SCLC **LYNPARZA®** **MK-7339[1,3]**	Cancer NSCLC vibostolimab+pembrolizumab **MK-7684A**	Cancer CRC Esophageal Gastric HNSCC Melanoma NSCLC **LENVIMA®** **MK-7902[1,2]**	▶ Pulmonary Arterial Hypertension sotatercept **MK-7962**
HIV-1 prevention islatravir **MK-8591[4]**	HIV-1 infection doravirine+ islatravir **MK-8591A[4]**		

MSD 5

MSD pipeline as of Feb 22, 2022

1. Approvals obtained within the last 24 months.
2. Being developed in a collaboration.
3. In Jan 2022, the FDA issued a CRL, MSD will collaborate with FDA to clarify requirements further as identified in the CRL.

▶ Moved forward since last pipeline update.

New Molecular Entities Under Review	New Molecular Entities Approvals[1]	New Molecular Entities Approvals[1]	New Molecular Entities Approvals[1]	New Molecular Entities Approvals[1]	Emergency Use
Anti-Viral COVID-19 molnupiravir **MK-4482[2]** **(EU)**	Heart failure **VERQUVO®** **MK-1242[2]** **(US, JPN, EU)**	Fungal infection **NOXAFIL®** **MK-5592** **(CHN)**	Pediatric neurofibromatosis type-1 **KOSELUGO®** **MK-5618[2]** **(US, EU)**	VHL- aRCC **WELIREG™** **MK-6482** **(US)**	▶ Anti-Viral COVID-19 molnupiravir **MK-4482[2]** **(US, JPN)**
Cough **gefapixant** **MK-7264** **(US[3], EU)**	▶ Cough LYFNUA® **MK-7264** **(JPN)**	Bacterial infection **RECARBRIO™** **relebactam+** **imipenem/cilastatin** **MK-7655A** **(JPN)**	▶ Prophylaxis of CMV **PREVYMIS** **MK-8228** (CHN)	▶ Pneumococcal Vaccine Adult **VAXNEUVANCE™** **V-114** **(US, EU)**	
Pneumococcal Vaccine Adult **VAXNEUVANCE™** **V-114** **(JPN)**	HPV Vaccine Girls and women **SILGARD®9** **V503** **(JPN)**				

MSD 6

1. Being developed in a collaboration.
2. In combination with KEYTRUDA
3. In July 2020, the FDA issued a CRL for MSD's and Eisai's applications. MSD and Eisai intend to submit additional data when available to the FDA.

▶ Moved forward since last pipeline update.

MSD pipeline as of Feb 22, 2022

Certain Supplemental Filings Under Review	Certain Supplemental Filings Under Review	Certain Supplemental Filings Under Review	Certain Supplemental Filings Under Review
cSSTI and Sepsis for pediatric use **CUBICIN® MK-3009 (JPN)**	**Cervical Cancer (KN826) KEYTRUDA® MK-3475 (EU, JPN)**	MSI-H or dMMR Endometrial Cancer (KN158) **KEYTRUDA® MK-3475 (US)**	Adjuvant Melanoma (KN716) **KEYTRUDA® MK-3475 (EU)**
▶ **MSI-H or dMMR Six Tumor Basket** (KN158) **KEYTRUDA® MK-3475 (EU)**	Adjuvant Renal Cell Cancer (KN564) **KEYTRUDA® MK-3475 (JPN)**	Previously treated TMB-H (KN158) **KEYTRUDA® MK-3475 (JPN)**	High-risk early stage TNBC (KN522) **KEYTRUDA® MK-3475 (EU, JPN)**
▶ BRCA-mutated HER2-negative adjuvant breast cancer (OlympiA) **LYNPARZA® MK-7339[1] (US, EU)**	▶ Metastatic 1L prostate cancer (PROpel) **LYNPARZA® MK-7339[1] (EU)**	1st line metastatic hepatocellular cancer (KN524) **LENVIMA® MK-7902[1,2,3] (US)**	Advanced unresectable renal cell carcinoma (KN581) **LENVIMA® MK-7902[1,2] (JPN)**
▶ Pneumococcal Infection for pediatric use **Vaxneuvance™ V114 (US)**			

1. Approvals obtained within the last 24 months.
2. EMA recommended results be included in the medicine's product information but did not recommend an extension of indication

▶ Moved forward since last pipeline update.

MSD pipeline as of Feb 22, 2022

Certain Supplemental Approvals[1]	Certain Supplemental Approvals[1]	Certain Supplemental Approvals[1]	Certain Supplemental Approvals[1]	Certain Supplemental Approvals[1]
▶ HIV-1 infection ≥12 years/>35kgs **PIFELTRO™ MK-1439 (US)**	▶ HIV-1 infection ≥12 years/>35kgs **DELSTRIGO™ MK-1439A (US)**	Alternative dosing regimen (Q6W) **KEYTRUDA® MK-3475 (US,CHN,JPN, EU)**	Cervical Cancer (KN826) **KEYTRUDA® MK-3475 (US)**	Recurrent LA or metastatic cutaneous squamous cell carcinoma (KN629) **KEYTRUDA® MK-3475 (US)**
▶ 1st line esophageal cancer (KN590) **KEYTRUDA® MK-3475 (US, EU, CHN, JPN)**	Recurrent LA or metastatic esophageal cancer (KN180/KN181) **KEYTRUDA® MK-3475 (CHN, JPN)**	1st line head and neck cancer (KN048) **KEYTRUDA® MK-3475 (CHN)**	Refractory classical Hodgkin lymphoma (rrcHL) (KN204) **KEYTRUDA® MK-3475 (US, EU)**	Metastatic HER2+ Gastric Cancer (KN811) **KEYTRUDA® MK-3475 (US)**
▶ **Adjuvant** Melanoma (KN716) **KEYTRUDA® MK-3475 (US)**	Unresectable or Metastatic MSI-H or dMMR Colorectal Cancer (KN177) **KEYTRUDA® MK-3475 (US, EU, CHN, JPN)**	1st line metastatic non-small cell lung cancer (KN042) **KEYTRUDA® MK-3475[2] (EU)**	▶ Adjuvant Renal Cell Cancer (KN564) **KEYTRUDA® MK-3475 (US, EU)**	Previously treated TMB-H (KN158) **KEYTRUDA® MK-3475 (US)**
Metastatic TNBC (KN355) **KEYTRUDA® MK-3475 (US, EU, JPN)**	High-risk early stage TNBC (KN522) **KEYTRUDA® MK-3475 (US)**	▶ Invasive Aspergillosis **NOXAFIL® MK-5592 (US, EU, JPN)**	1st line maintenance newly diagnosed advanced ovarian cancer (PAOLA) **LYNPARZA® MK-7339[2] (US, EU, JPN)**	1st line gBRCAm Pancreatic Cancer (POLO) **LYNPARZA® MK-7339[2] (JPN)**

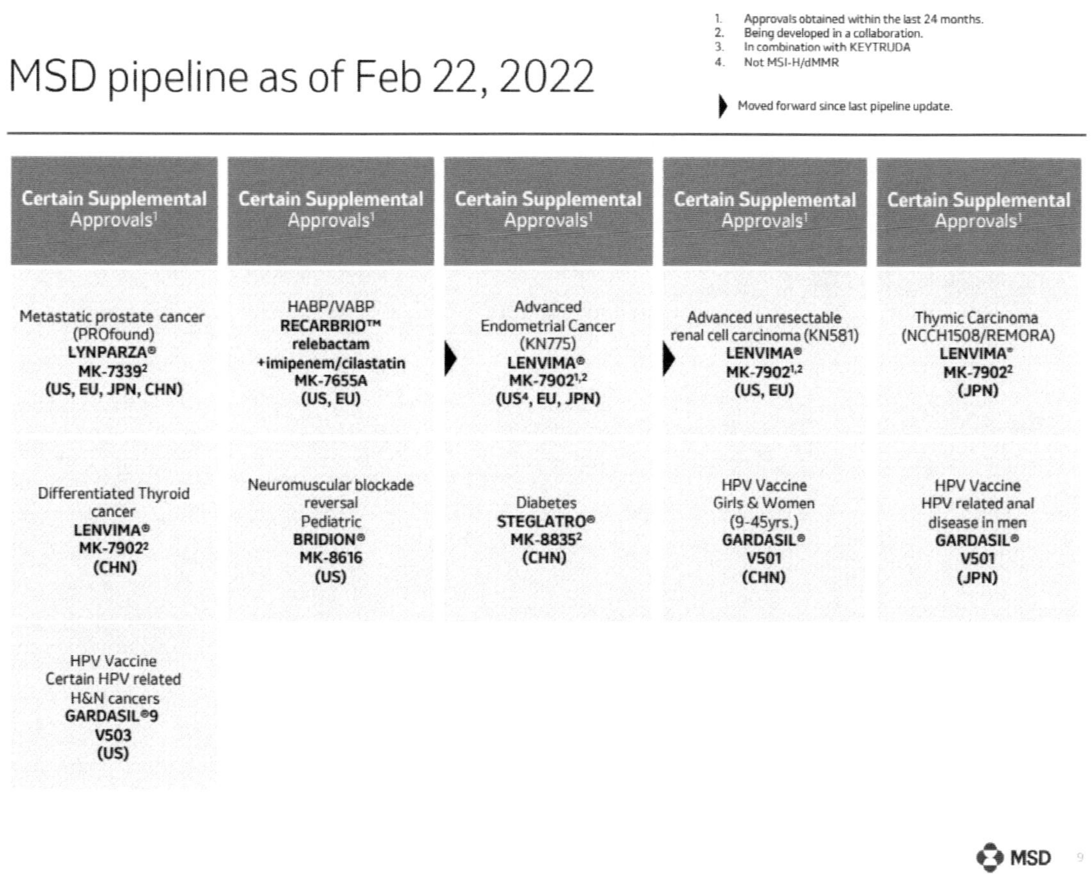

그림 89 MSD 파이프라인 (2022년 2월 22일 기준)[83)]

83) MSD 홈페이지 연구-파이프라인

3) SANOFI PASTEUR

▷ 개요

소재지 : Lyon, France
사원수 : 104,226 (2018.12.31. 기준)
웹사이트 : https://www.sanofipasteur.com/
시가총액 : $ 139.082 billion (2022.04.08.기준)
매출액 : € 36.041 billion (2020)

프랑스에 본사를 둔 사노피 그룹은 세계 선두의 헬스케어 기업이다. 사노피 파스퇴르는 매년 10억 회 이상의 백신을 생산하며 지속적으로 건강과 복지를 향상시키고 있다. 현재 인플루엔자, 뇌막염, 여행 및 고유 질환을 비롯하여 어린이, 청소년 및 성인을 대상으로 한 다양한 고품질 백신 포트폴리오를 보유하고 있다. 또한 인플루엔자 및 소아 과학 백신 분야에서 선두기업이며 세계 최초로 폴리오 주사 백신을 공급했다. 2018년도에 59억 유로(한화 약 7조 8천억원) 규모가 연구개발에 투자되어 백신을 지속적으로 연구 중에 있다. 국내에서는 사노피-아벤티스 코리아가 전문의약품, 일반의약품 및 건강기능식품(세노비스)을, 사노피 파스퇴르가 백신을, 사노피 젠자임이 희귀질환치료제, 항암제를 비롯한 스페셜티케어 제품군을 공급하고 있다. 최근 사노피 코리아는 사노피 아벤티스, 사노피 파스퇴르, 사노피 젠자임이 '사노피'라는 단일 명칭과 브랜드로 통합하여 새로운 공통된 목적과 정체성 아래 이들 사업부가 하나의 기업으로 생각하고 움직이고 행동하자는 의미를 담았다.

▷ 주요 제품

박씨그리프테트라주	펜탁심주	메낙트라주	아박심160U성인용주	테트락심주
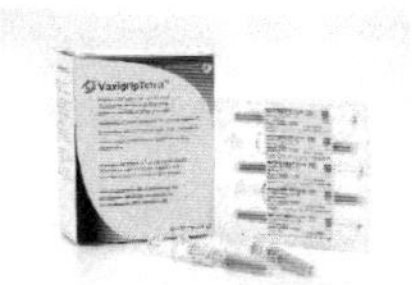		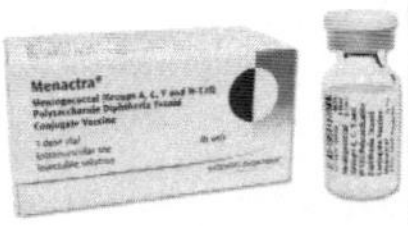	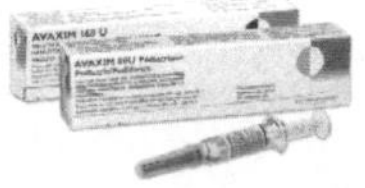	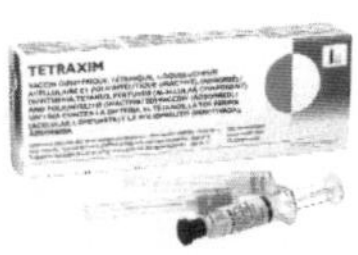
헥사심프리필드시린지주	이모젭주	아박심80U소아용주	아다셀주	스타마릴주
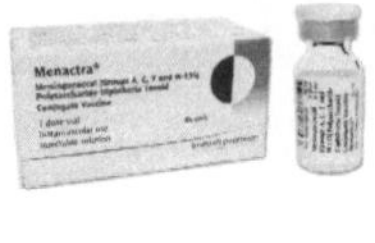		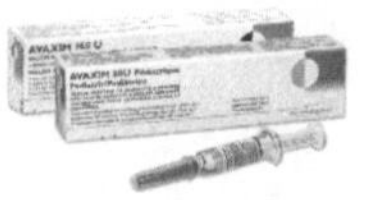	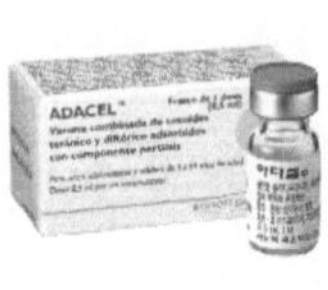	

표 10 Sanofi 백신 주요 제품 10종

▷ 주요 파이프라인

Pipeline charts as communicated
At Q4 2021 Results Meeting dated
FEBRUARY 4, 2022

sanofi

R&D Pipeline Phase III & Registration

Phase III

Name	Description	Indication
Dupixent®[A]	Anti-IL-4/IL-13 mAb	Prurigo Nodularis
Dupixent®[A]	Anti-IL-4/IL-13 mAb	Eosinophilic Esophagitis
Dupixent®[A]	Anti-IL-4/IL-13 mAb	Bullous Pemphigoid
Dupixent®[A]	Anti-IL-4/IL-13 mAb	Chronic Spontaneous Urticaria
Dupixent®[A]	Anti-IL-4/IL-13 mAb	Chronic Obstructive Pulmonary Disease
Dupixent®[A]	Anti-IL-4/IL-13 mAb	Chronic Inducible Cold Urticaria
Dupixent®[A]	Anti-IL-4/IL-13 mAb	Chronic Rhinosinusitis without Nasal Polyps
Dupixent®[A]	Anti-IL-4/IL-13 mAb	Allergic Fungal Rhinosinusitis
itepekimab[A]	Anti-IL-33 mAb	Chronic Obstructive Pulmonary Disease
Libtayo®[A]	Anti-PD-1 mAb	Adjuvant CSCC
Sarclisa®	Anti-CD38 mAb	1L Newly Diag. MM Ti (IMROZ)
Sarclisa®	Anti-CD38 mAb	1L Newly Diag. MM Te (GMMG)
Sarclisa®	Anti-CD38 mAb	Smoldering MM (ITHACA)
amcenestrant	SERD + palbociclib	1L Metastatic breast cancer
tusamitamab ravtansine	Anti-CEACAM5 ADC	2/3L NSCLC
tolebrutinib	BTK inhibitor	Relapsing Multiple Sclerosis
tolebrutinib	BTK inhibitor	Primary Progressive MS
tolebrutinib	BTK inhibitor	Secondary Progressive MS
tolebrutinib	BTK inhibitor	Myasthenia Gravis
Nexviazyme®	Enzyme Replacement Therapy (GAA)	Pompe Disease - Infantile Onset
venglustat	Oral GCS inhibitor	GM2 Gangliosidosis
fitusiran	RNAi targeting anti-thrombin	Hemophilia A and B
fitusiran	RNAi targeting anti-thrombin	Hemophilia A and B pediatric
rilzabrutinib	BTK inhibitor	Immune Thrombocytopenia
efanesoctocog alfa[B]	rFVIIIFc – vWF – XTEN	Hemophilia A
nirsevimab[C]	Monoclonal Antibody	Respiratory Syncytial Virus (RSV)
SP0253[D]	Recombinant baculovirus vaccine	COVID-19
MenQuadfi®	Meningococcal (A,C,Y,W) conjugate vaccine	Meningitis 6w+ (US / EU)
VerorabVax®	Purified vero rabies vaccine	Rabies

Registration

Name	Description	Indication
Dupixent®[A]	Anti-IL-4/IL-13 mAb	Atopic Dermatitis 6 months – 5 years old
Libtayo®[A]	Anti-PD-1 mAb	2L Cervical Cancer
Libtayo®[A]	Anti-PD-1 mAb + chemotherapy	1L NSCLC
olipudase alfa	rhASM	ASMD ad+ped
sutimlimab	Anti-complement C1s mAb	Cold Agglutinin Disease

As of December 31, 2021

- Immuno-inflammation
- Oncology
- Neurology
- Rare Diseases
- Rare Blood Disorders
- Vaccines

R&D Pipeline – Phase II

Phase II

	Name	Description	Indication
	Dupixent®[A]	Anti-IL-4/IL-13 mAb	Peanut allergy
R	Kevzara®[A]	Anti-IL-6 mAb	Polyarticular Juvenile Idiopathic Arthritis
R	Kevzara®[A]	Anti-IL-6 mAb	Systemic Juvenile Arthritis
	amlitelimab[1]	Anti-OX40L mAb	Atopic Dermatitis
	rilzabrutinib	BTK inhibitor	IgG4-related disease
	rilzabrutinib	BTK inhibitor	Atopic Dermatitis
	SAR443122[E,2]	RIPK1 inhibitor	Cutaneous Lupus Erythematosus
	SAR441344[F]	Anti-CD40L mAb	Sjogren's Syndrome
	SAR441344[F]	Anti-CD40L mAb	Systemic Lupus Erythematosus
	SAR444727	BTK inhibitor (topical)	Atopic Dermatitis
R	Sarclisa®	Anti-CD38 mAb	1-2L AML / ALL pediatrics
	Sarclisa®	Anti-CD38 mAb + combinations	Relapsed, Refractory Multiple Myeloma
R	amcenestrant	SERD	2/3L Metastatic Breast Cancer
	amcenestrant	SERD	Early Breast Cancer
	alomfilimab[3]	Anti-ICOS mAb	Solid tumors
	tusamitamab ravtansine	Anti-CEACAM5 ADC + ramucirumab	2/3L NSCLC
	tusamitamab ravtansine	Anti-CEACAM5 ADC	Exploratory Solid tumors
	tusamitamab ravtansine	Anti-CEACAM5 ADC + pembrolizumab	1L NSCLC
	tusamitamab ravtansine	Anti-CEACAM5 ADC	Gastric cancer
	SAR444245[4]	Non-alpha IL-2 + cemiplimab	Skin cancers
	SAR444245[4]	Non-alpha IL-2 + combinations	NSCLC / Mesothelioma
	SAR444245[4]	Non-alpha IL-2 + combinations	Head & Neck tumors
	SAR444245[4]	Non-alpha IL-2 + combinations	Lymphoma
	SAR442720[G]	SHP2 inhibitor + KRAS inhibitor	2L NSCLC

	Name	Description	Indication
	SAR445088[5]	Complement C1s inhibitor	CIDP
	SAR441344[F]	Anti-CD40L mAb	Multiple Sclerosis
R	SAR339375	miRNA-21	Alport Syndrome
	venglustat	Oral GCS inhibitor	Fabry Disease
	venglustat	Oral GCS inhibitor	Gaucher Disease Type 3
	Sarclisa®	Anti-CD38 mAb	Warm Autoimmune Hemolytic Anemia
	SAR445088[5]	Complement C1s inhibitor	Cold Agglutinin Disease
	Fluzone® HD (SP0178)	Inactivated influenza Vaccine (IIV)	Pediatric Flu
	SP0218	Vero cell	Yellow fever vaccine
	SP0202[H]	Next Generation Conjugate Vaccine	Pneumococcal
	SP0125	Live Attenuated Virus Vaccine	Respiratory syncytial virus (toddler)
	SP0230	Multicomponent vaccine	Meningitis B

As of December 31, 2021

- Immuno-inflammation
- Oncology
- Neurology
- Rare Diseases
- Rare Blood Disorders
- Vaccines
- R Registrational Study (other than Phase 3)

R&D Pipeline – Phase I

Phase I

Name	Description	Indication
SAR441566	Oral TNF inhibitor	Inflammatory indications
SAR444656[I,1]	IRAK4 degrader	Atopic Dermatitis
SAR444336	Pegylated IL-2	Inflammatory Indication
SAR443726	Anti-IL-13/OX40L Nanobody® VHH	Atopic Dermatitis
SAR442970	Anti-TNFa/OX40L Nanobody® VHH	Inflammatory Indication
SAR443765	Anti-IL-13/TSLP Nanobody® VHH	Inflammatory Indication
SAR442999	Anti-TNFa/IL23A Nanobody® VHH	Inflammatory Indication
SAR441000[J]	Cytokine mRNA	Solid tumors
SAR442257	Anti-CD38xCD28xCD3 trispecific mAb	MM / N-H Lymphoma
SAR442720[G]	SHP2 inhibitor + pembrolizumab	1L NSCLC
SAR444245[J]	Non-alpha IL-2 mono, combo (PD-1, EGFR)	Solid tumors
SAR444881[K]	Anti-ILT2 mAb	Solid tumors
SAR445419[3]	NK-cell-based immunotherapy	Acute Myeloid Leukemia
SAR443216	Anti-CD3xCD28xHer2 trispecific mAb	Gastric cancer
SAR445710[4]	Anti-PD-L1/IL-15 fusion protein	Solid tumors
SAR443579[L]	Anti-NKp46/CD123 bispecific mAb	Acute Myeloid Leukemia
SAR442501	Anti-FGFR3 mAb	Achondroplasia
SAR443809	Anti-Factor Bb mAb	Rare renal diseases
SAR443820[F,5]	RIPK1 inhibitor	Amyotrophic Lateral Sclerosis
SP0148[M]	HSV-2 therapeutic vaccine	Herpes Simplex Virus (HSV) Type 2
SP0273	mRNA vaccine	Influenza vaccine

As of December 31, 2021

- Immuno-inflammation
- Oncology
- Neurology
- Rare Diseases
- Rare Blood Disorders
- Vaccines
- R Registrational Study (other than Phase 3)

그림 101 Sanofi 파이프라인 (2022.02.04.기준) 출처: 사노피 홈페이지

4) PFIZER

▷ 개요

소재지 : New Work, America
사원수 : 78,500/ 미국 29,400 (2020)
웹사이트 : https://www.pfizer.com/
시가총액 : $311,588 million (2022.04.11.기준)
매출액 : $41.98 billion (2020)

화이자는 인류와 동물을 위한 의약품을 발견, 개발, 생산하고 이에 대한 품질 및 안전, 가치 기준을 확립하기 위해 매진하는 연구 기반의 글로벌 바이오 제약회사이다. 화이자의 글로벌 헬스케어 포트폴리오는 인간 및 동물 생물학제제, 저분자 의약품 및 백신을 비롯해 전 세계적으로 널리 알려져 있는 컨슈머 제품을 포함한다. 화이자의 R&D 연구소는 미국과 영국에 위치한 주요 연구소에서 운영되며 질환에 대한 지식과 기술 분야의 전문성을 갖춘 연구팀과 바이오 기술팀을 보유해서 신약개발에 몰두하고 있다. 현재 125개국 이상에서의 입지를 가지고 있다.

▷ 주요 제품

프리베나®13주	팍스로비드	수텐
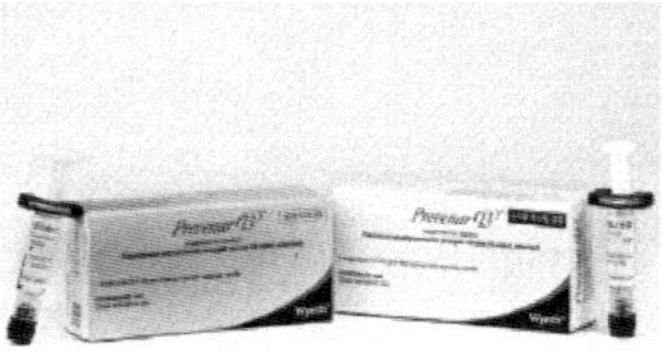	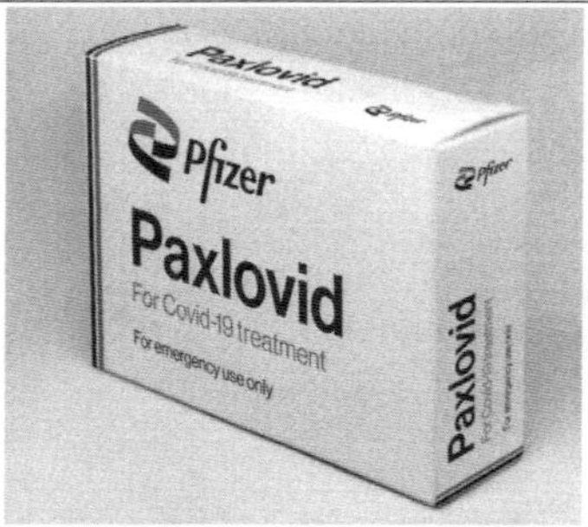	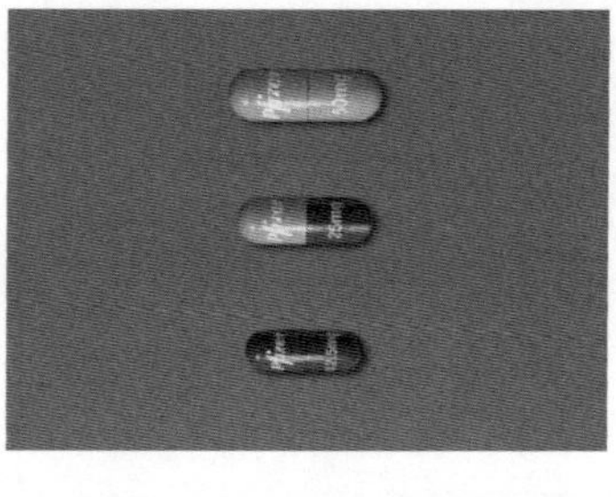

코미나티주	입랜스	젤잔스	엘리퀴스
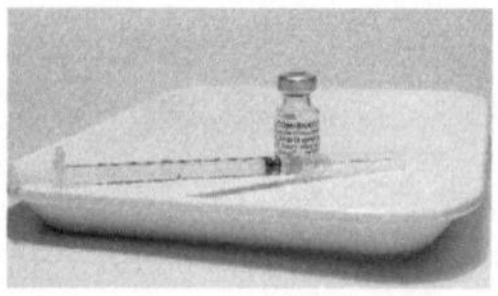	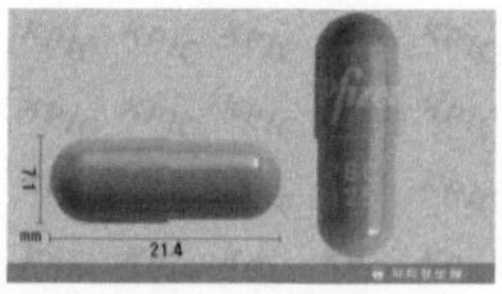	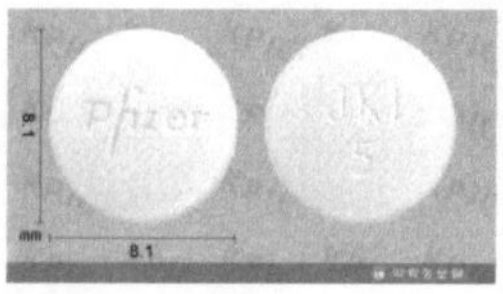	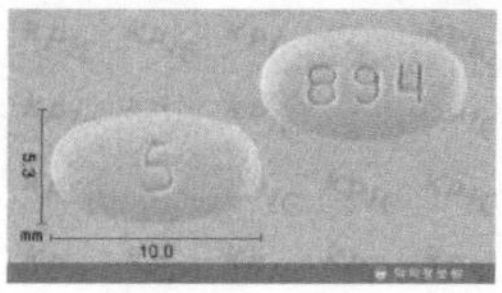

표 11 Pfizer의 주요 제품

▷ 주요 파이프라인

제품명	적응증	개발단계
aztreonam-avibactam (PF-06947387)	Treatment of infections caused by Gramnegative bacteria for which there are limited or no treatment options	Phase III
PF-06425090	Primary clostridium difficile infection (FAST TRACK)	Phase III
PF-06482077	Invasive and non-invasive Pneumococcal infections (pediatric) (BREAKTHROUGH, FAST TRACK)	Phase III
PF-06482077	Invasive and Non-Invasive Pneumococcal infections (adult) (E.U.)	Registration
PF-06842433	Invasive and non-invasive Pneumococcal infections (infants and children)	Phase II
PF-06886992	Serogroups ABCWY Meningococcal Infections (adolescent and young adults)	Phase 3
PF-06760805	Invasive Group B Streptococcus Infection (maternal) (FAST TRACK)	Phase 2
PF-06886992	Serogroups ABCWY Meningococcal Infections (infants)	Phase 2
PF-06928316	Respiratory Syncytial Virus Infection (older adult)	Phase 3
PF-06928316	Respiratory Syncytial Virus Infection (maternal) (FAST TRACK)	Phase 3
Bavencio (avelumab)	Combo w/Talzenna (talazoparib) for Solid Tumors with a BRCA or ATM defect (Biologic)	Phase 2
fidanacogene elaparvovec (PF-06838435)	Hemophilia (Biologic) (BREAKTHROUGH, ORPHAN - U.S., E.U., PRIME - E.U.)	Phase III
somatrogon (PF-06836922)	Pediatric Growth Hormone Deficiency (Biologic) (ORPHAN - E.U.)	Registration
somatrogon (PF-06836922)	Adult Growth Hormone Deficiency (Biologic)	Phase III
Bavencio (avelumab)	Combo w/Talzenna (talazoparib) for Locally Advanced (Primary or Recurrent) or Metastatic Solid Tumors (Biologic)	Phase 2
Bavencio (avelumab)	1st Line Non-Small Cell Lung Cancer (Biologic)	Phase 3
abrocitinib (PF-04965842)	Atopic Dermatitis	Phase III
PF-06651600	Vitiligo	Phase II

PF-06946860	Cachexia (Biologic)	Phase I
Dekavil	Rheumatoid Arthritis (Biologic)	Phase II

표 12 Pfizer의 주요 파이프라인

5) NOVAVAX

▷ 개요

NOVAVAX

소재지 : Maryland, America
사원수 : 791명(2021)
웹사이트 : https://novavax.com/
시가총액 : $ 4,625 million (2022.04.11.)
매출액 : $ 47.52 billion (2020)

Novavax는 광범위한 전염병을 예방하기 위해 백신을 개발하는 생명 공학 회사이다. 혁신적인 재조합 나노 입자 백신 기술을 사용하여 기존 질병 및 신흥 질병에 대한 효율적인 백신을 연구한다. 백신은 질병 발병에 중요한 재조합 단백질을 포함하는 유전자 조작된 3차원 나노 구조로 구성되어 있다. 아직까지 생산되는 제품은 없는 상태이고 현재 백신 연구개발단계에 있다. 파이프라인은 호흡기 합병 바이러스 (RSV), 나노 입자 계절 인플루엔자 백신 및 에볼라 바이러스 백신 (EBOV)등이 있다. 매년 6천 6백만 명의 RSV 환자들이 발생하는 가운데 Novavax는 임상 시험 중인 독감 백신에 유사한 기술을 사용하고 RSV, 에볼라, MERS 및 SARS에 대한 후보 백신도 개발했다. 10년이 된 이 회사는 아직 시장에 제품이 없지만 1년 전에는 직원이 약 150명에서 지금은 700명으로 늘어났으며 대부분 제조 규모를 확장했다.

▷ 주요 파이프라인

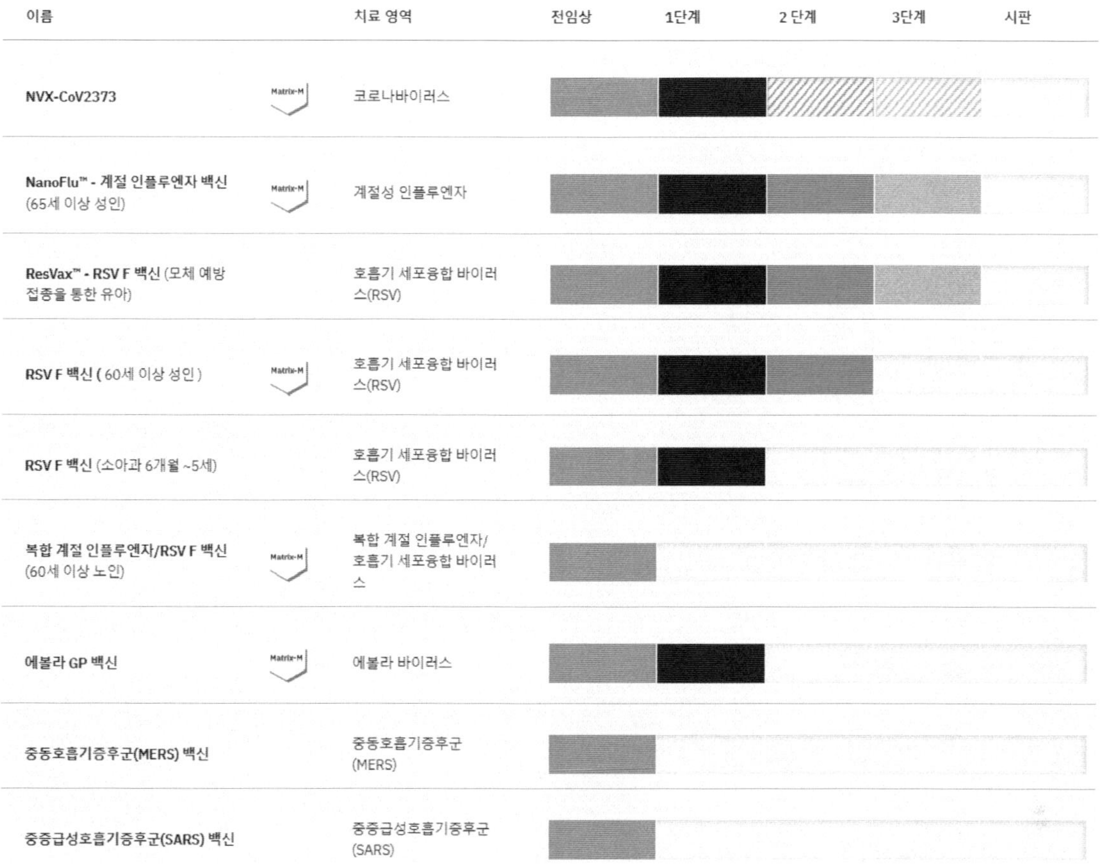

그림 111 novavax 파이프라인

나. 국내 제약기업

1) GC녹십자

▷ 개요

소재지 : 대한민국 경기도 용인시 기흥구 이현로30번길 107 GC녹십자

사원수 : 2,076명 (2020.12)

웹사이트 : http://greencross.co.kr/kor/index.do

시가총액 : 2조 1,737억원 (2022. 04. 12. 기준)

매출액 : 1,504,115,278,649원 (2020)

GC녹십자는 예방, 진단, 의약품, 의료기기, 건강기능식품, 헬스케어 등 제품과 서비스를 포괄

하는 글로벌 토탈 헬스케어 기업이다. 현재 미국에 10개 이상의 혈액원을 개원했고 캐나다에 혈액제제 공장을 준공해 북미 진출 준비를 완료했다. 수두백신과 계절독감백신은 국제기구 조달율 1위를 점유하고 있으며, R&D부문은 혁신적인 파이프라인 강화에 박차를 가하고 있다. GC녹십자 개발한 3세대 유전자재조합 A형 혈우병치료제와 B형 간염 백신 헤파박스-B는 세계에서 세 번째로 개발에 성공한 제품이다. 이 외에도 혈액제제, 백신 및 유전자재조합 치료제에서 지속적으로 연구개발을 하며 국민 보건에 기여해왔다. 2020년 1분기 셀트리온에 이어 국내 바이오 매출 2위를 기록했다.

▷ 주요 제품

<table>
<tr><td>지씨플루쿼드리밸런트프리필드시린지주</td><td>모더나스파이크박스주
(사스코로나바이러스-2 mRNA백신)</td><td>릭수비스주</td></tr>
<tr><td>
</td><td>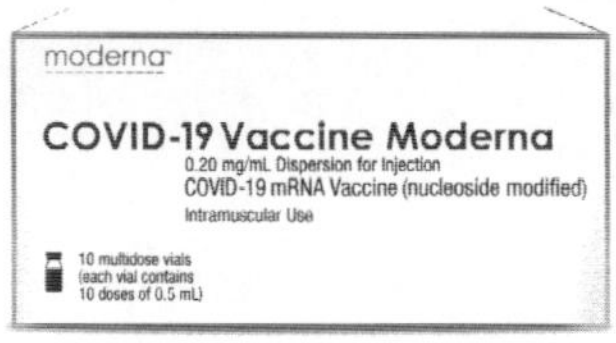
</td><td>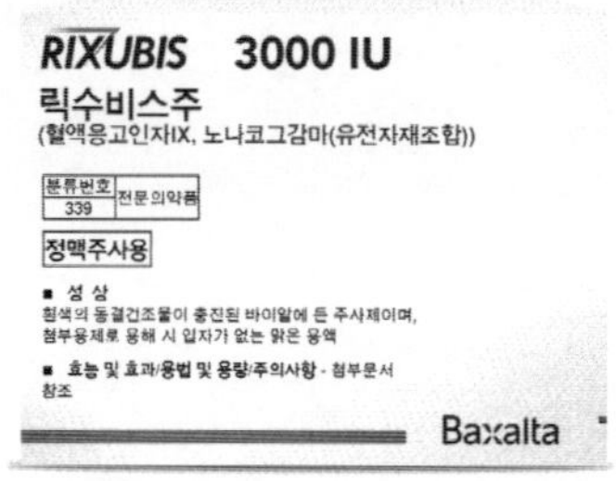
</td></tr>
<tr><td>알부민</td><td>아이비글로불린에스엔</td><td>유박스비 프리필드주</td></tr>
<tr><td>
</td><td>
</td><td>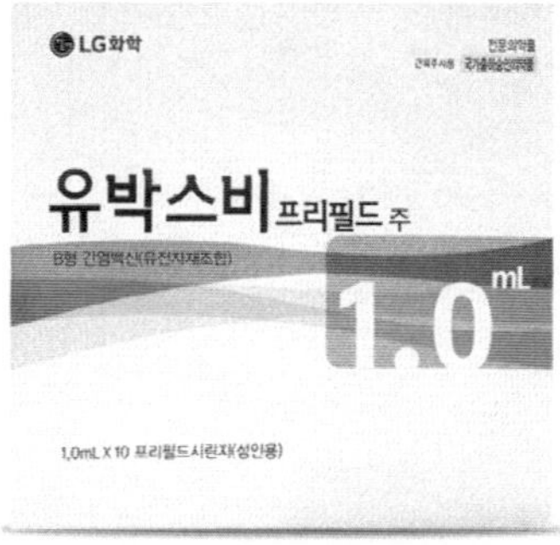
</td></tr>
<tr><td>세포배양일본뇌염백신주</td><td>배리셀라주</td><td>녹십자티디백신
프리필드시린지주</td></tr>
<tr><td>
</td><td>
</td><td>
</td></tr>
</table>

표 13 GC녹십자의 주요 제품

▷ 주요 파이프라인

제품명	적응증	개발단계
MG1113A	A형, B형 혈우병	Phase Ⅰ
GC1111B	헌터증후군	Phase Ⅱ
GC1118A	대장암	Phase Ⅱ
GC3114A	계절독감	Phase Ⅱ
GC1109	탄저병	Phase Ⅱ
GC3111A	파상풍, 디프테리아, 백일해	Phase Ⅱ
MG4101	간세포암종	Phase Ⅱ
GC3107A	폐결핵	Phase Ⅲ
GC5101B	선천성 면역결핍증 혈소판 감소증	Phase Ⅲ
GC5107B	원발성 면역결핍	Phase Ⅲ
MGAH22	유방암	Phase Ⅲ
MG1111	수두	Registration
GC1101D	A형 혈우병	Registration
GC1111F	헌터증후군	Registration
GC1111F	헌터증후군(ICV)	Registration
Stem Cell Therapy	부갑상선기능저하증	GLP
GC1126A	후천성 혈전성 혈소판 감소성 자반증	GLP
GC1130A	산필리포증후군 A형	GLP
GC1133A	점액다당류증	GLP
GC1134A	파브리병	GLP

표 14 GC녹십자의 주요 파이프라인

▷ 최근이슈

GC녹십자는 코로나19 완치자의 혈장을 이용한 혈장치료제 "GC5131A"을 개발 완료하고 임상시험 단계에 있다. GC녹십자는 임상을 위한 1차 생산, 환자 치료를 위한 2차 생산을 마치고 3차 생산에도 속도를 박차고 있다. 3차 생산에서 사용한 혈장은 240L로, 2차 생산 때와 같은 양이다. GC녹십자는 10월 말까지 3차 생산을 완료하여 임상시험을 필요로 하는 의료기관과 코로나19 치료에 사용하려는 의료기관에 공급할 계획이다.

GC녹십자는 2020 3분기 영업이익이 6억 원으로 어닝 서프라이즈를 잠정 공시했다. 지난 6월 코로나19 관련 의약품 수출 계약 체결 이후에 계속된 코로나19 진단키트 수출실적이 성장에 큰 역할을 했다. 최근 새로운 코로나19 항원진단키드의 수출 허가를 획득했다.

GC녹십자는 지속적인 주성장동력으로 택한 현장진단(POCT) 부문 연구개발과 더불어, 다양한 바이오 스타트업과 협업을 통해 코로나19 진단 플랫폼을 비롯해 만성질환 분야 사업 확장에 주력하고 있다.

GC녹십자가 세계 최초로 상용화에 성공한 희귀질환 치료제의 국내 임상을 개시한다.
GC녹십자는 식품의약품안전처로부터 중증형 헌터증후군 치료제 '헌터라제 ICV(intracerebroventricular, 개발명: GC1123)'의 임상 1상 승인을 받았다고 밝혔다. 이번 임상시험은 삼성서울병원, 서울대학교병원, 양산부산대학교병원 등 국내 3곳의 기관에서 중증형 헌터증후군 환자 12명을 대상으로 진행되며, 약물의 안전성 및 효능을 평가한다. 회사 측은 전체 헌터증후군 환자 중 신경병성 증상이 나타나는 중증 환자 비율이 약 70%에 달해 미충족 의료 수요(unmet needs)가 높은 상황이라고 설명했다.
'헌터라제ICV'는 머리에 디바이스를 삽입해 약물을 뇌실에 직접 투여하는 치료법으로, 기존 정맥주사 제형의 약품이 뇌혈관장벽(BBB, Blood Brain Barrier)을 통과하지 못해 '뇌실질 조직(cerebral parenchyma)'에 도달하지 못하는 점을 개선한 제품이다.[84)]

84) GC녹십자 홈페이지 NEWS

2) SK바이오사이언스

▷ 개요

소재지 : 대한민국 경기도 성남시 분당구 판교로 310

사원수 : 827명 (2020.12)

웹사이트 : https://www.skbioscience.co.kr/kr/main.do

매출액 : 225,610,784,857원 (2020)

시가총액 : 10조 4,559억원 (2022.04.12.)

SK바이오사이언스는 2018년 SK케미칼의 백신사업부문을 분할한 백신 전문기업이다. 2006년부터 자체 개발 백신의 연구를 시작한 결과 2014년 사노피 파스퇴르(Sanofi Pasteur SA)와 차세대 폐렴백신 공동연구개발 계약을 체결했다. 또한 국내 최초로 세포배양 기술을 적용한 3가 독감백신 개발을 넘어서 세계 최초 4가 세포배양 독감백신 개발을 하며 프리미엄 백신 제품에서 성과를 기록하고 있다. 또한 4가 독감백신이 WHO PQ 최종 인증 획득됨에 따라 수두백신 스카이바리셀라도 PQ인증을 획득하기 위해 준비하고 있다. 또한 대상포진 백신 스카이조스터를 출시한 지 1년만에 1위를 위협하는 수준으로 성장했고 이외에도 여러 제품을 개발하고 있어 성장세가 주목된다. SK바이오사이언스는 현재 아스트라제네카사의 코로나19 백신 1종을 위탁생산, 1종은 기술이전을 받아 생산하고 있다. 또한 자체적으로도 코로나19 백신 개발에도 착수해 임상 3상을 진행 중이다.[85)]

▷ 주요 제품

스카이셀플루4가프리필드시린지	스카이조스터주	스카이바리셀라주	스카이셀플루 프리필드시린지
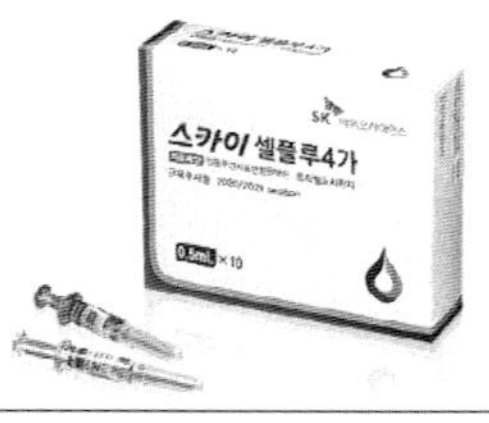	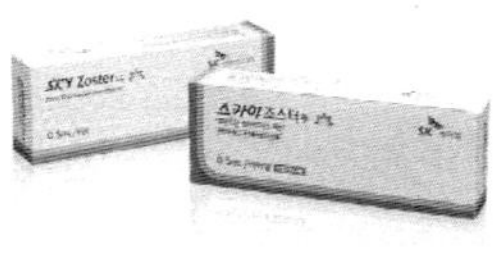	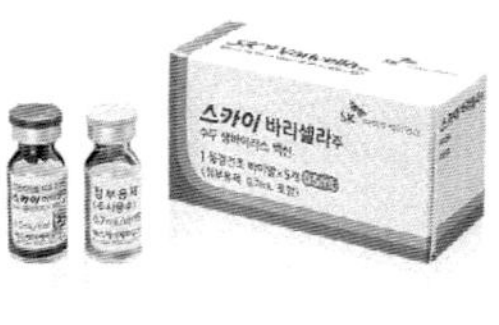	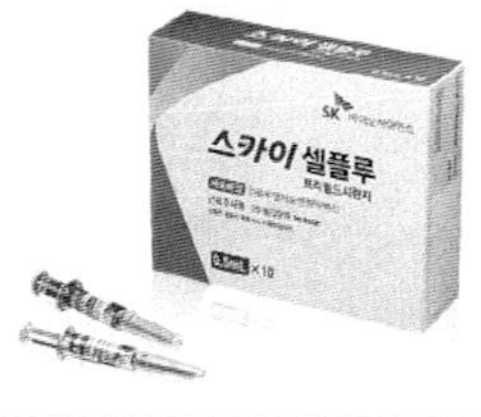

표 15 SK바이오사이언스의 주요 제품

85) SK바이오사이언스 위키백과

▷ 주요 파이프라인

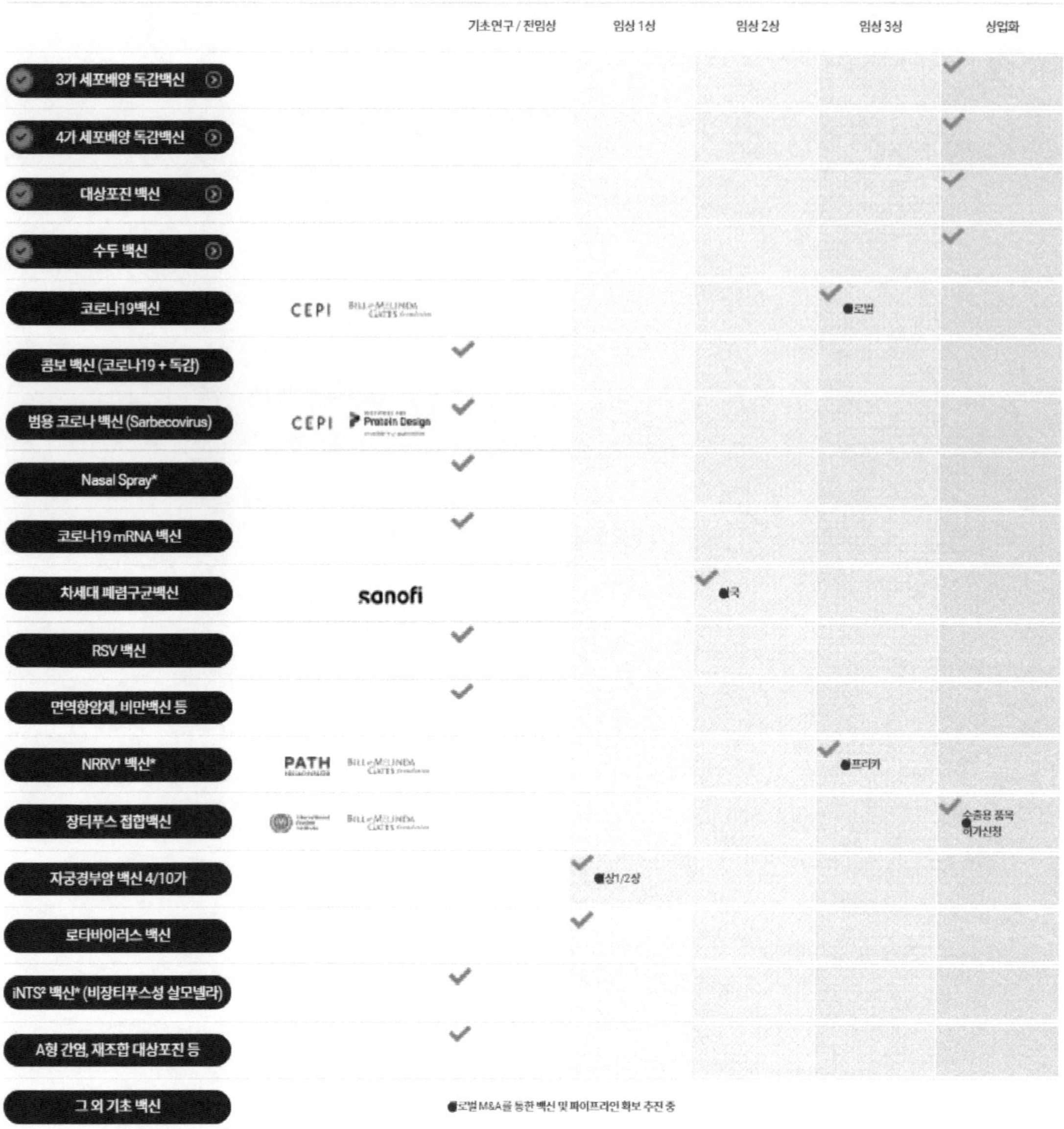

그림 127 sk바이오사이언스 백신 파이프라인 (출처 : 자사 홈페이지)

▷ 최근이슈

SK바이오사이언스는 현재 코로나19 백신을 비롯한 차세대 폐렴구균 백신을 새롭게 개발 중이다.

최근에는 아스트라제네카와 코로나19 백신 공급을 위한 위탁생산 계약을 체결하는데 성공했다. 더 나아가 해외시장 진출 및 사업 다각화/확대에도 적극적으로 임하고 있다.

SK바이오사이언스는 유명 미국 백신 개발 제약회사 노바백스(Novavax)와 코로나19 백신의 단백질 후보인 "NVX-CoV2373"의 항원 개발 및 생산을 위해 CDMO(Contract Development Manufacturing Organization, 위탁개발생산) 계약을 체결하는데 성공했다.

SK바이오사이언스는 IPO 및 코로나19 백신 사업을 계기로 확보한 수조원 규모의 재원을 투자해 기업 M&A, 사업 인수 등을 진행하고 CGT(세포유전자치료제) 등 신사업 진출과 글로컬라이제이션(Glocalization)을 통한 해외 사업 확장에도 나선다. 또 팬데믹을 계기로 강화된 글로벌 협력 체계를 바탕으로 '넥스트 팬데믹(Next Pandemic)' 대응 전략도 본격적으로 시행한다.

SK바이오사이언스는 국내 식품의약품안전처에 코로나19 백신인 '뉴백소비드'의 접종 연령 확대를 위한 품목허가 변경 신청을 완료했다. 이번 허가 변경이 승인되면, 만 12세 이상 청소년들도 높은 안전성과 유효성이 강점인 합성항원 방식의 코로나19 백신을 접종할 수 있게 된다. 뉴백소비드는 미국 바이오기업 노바백스가 개발한 합성항원 방식의 코로나19 백신이다. 현재 전 세계 38개국에서 승인을 받아 사용되고 있으며 WHO(세계보건기구) 긴급사용목록(EUL)에 등재됐다. 국내에서는 SK바이오사이언스가 기술이전(License-in) 계약을 맺고 원액부터 완제까지 제조해 2021년 2월부터 공급 중이다.[86)]

86) SK바이오사이언스 홈페이지 News Room

3) LG화학

▷ 개요

소재지 : 대한민국 서울특별시 영등포구 여의대로 128 LG트윈타워

사원수 : 18,800명 (2021)

웹사이트 : https://www.lgchem.com/kr/main

시가총액 : 35조 9,315억 원 (2022.04.13. 기준)

매출액 : 42조 6547억 원 (2021)

LG화학은 1947년에 설립되었으며 70년 넘게 지속적으로 성장한 국내 대표 화학기업이다. 석유화학, 전지, 첨단소재, 생명과학 총 4가지 분야의 사업으로 구성되어 있다. 생명과학 연구소는 인류건강과 보건 증진을 위한 목적으로 합성신약 및 바이오 의약, 진단의약을 연구하고 있다. 지속적인 R&D 투자 결과 국내 최초로 FDA 승인받은 팩티브를 개발할 수 있었고, 국내 최초 자체개발 및 생산에 성공한 영유아 혼합백신 유펜타를 개발 할 수 있었다. 최근에는 R&D 및 시설 투자 규모를 연간 3000~5000억 원 수준으로 확대했고, 신약 파이프라인을 20개까지 넓힐 계획이다. 또한 국내를 넘어 해외시장을 적극 공략하며 글로벌 제약사로 성장하고 있다.

▷ 주요 제품

유트로핀	시노비안	제미글로/제미메트 서방정
	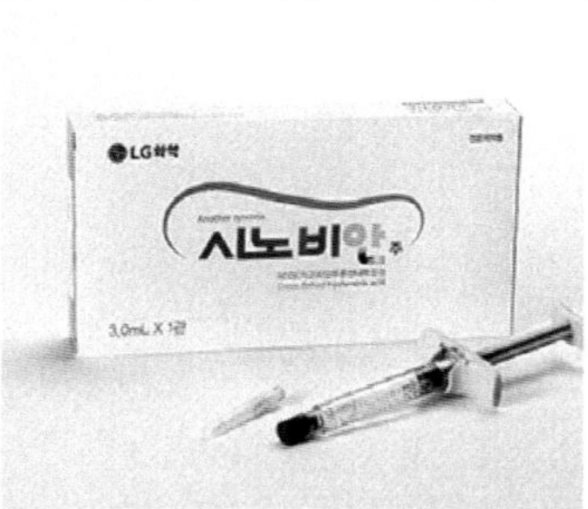	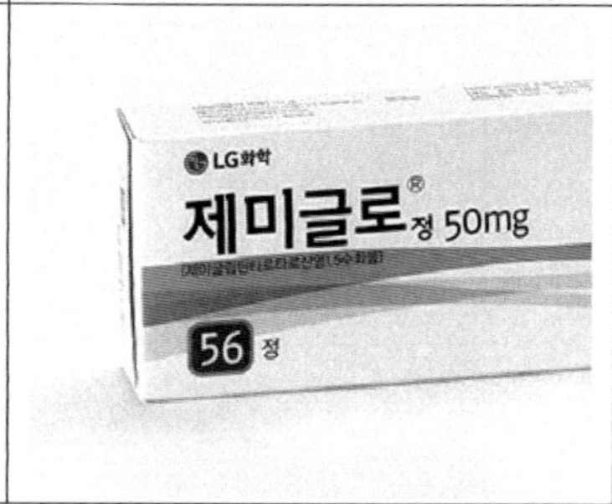

유셉트	이브아르
	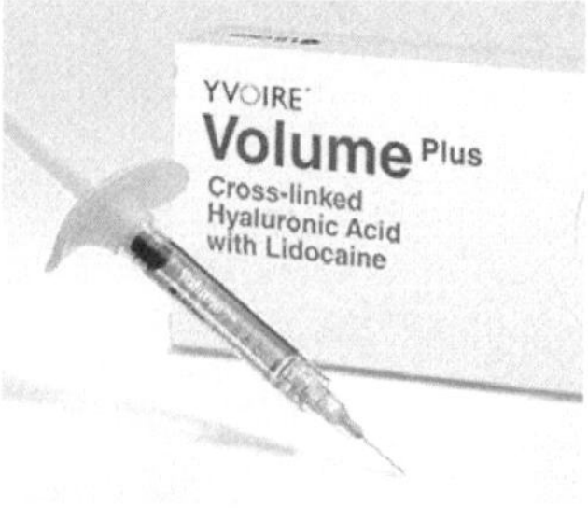

표 17 LG화학의 주요 제품

▷ 주요 파이프라인

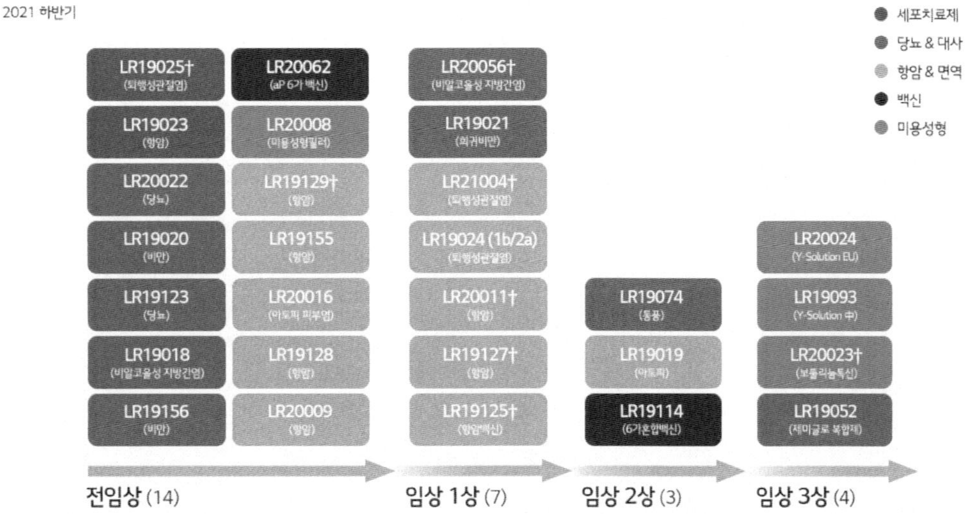

표 18 LG화학 파이프라인 (2021하반기)

▷ 최근 이슈

LG화학은 미국 FDA로부터 중성지방 합성 효소인 DGAT-2(Diacylglycerol acyltransferase-2) 활성을 선택적으로 저해해 간에서의 지방 축적을 억제하는 NASH 신약물질 'LG203003'의 임상 1상 시험계획(IND)을 승인 받았다. 이번 승인에 따라 기존 항염증 기전 신약 물질인 'LG303174'에 이어 새 기전의 임상개발 단계 NASH 신약 후보물질을 확보하게 됐다. 1상 마무리 단계인 'LG303174'는 연내 미국 임상 2상 진입이 예상된다.

NASH는 알코올 섭취와 무관하게 간에 쌓인 지방 등으로 간 조직에 염증이 발생하는 질환으로, 진행되면 간경변증 나아가 간암으로 악화된다. 지방 축적, 염증, 섬유화 등 복합적인 발병 기전으로 인한 높은 개발 난도로 아직 상용화된 치료제는 없는 상황이다. 시장 조사 자료(GlobalData)에 따르면 글로벌 NASH 시장은 2020년 대체의약품 중심으로 약 2,400억원 규모를 형성하고 있으며, 본격적인 신약 출시로 2029년 20조원을 넘길 것으로 전망된다.

LG화학은 미국 FDA로부터 인슐린 저항성을 개선하는 제2형 당뇨병 치료 신약 후보물질 'LC542019'의 임상 1상 시험계획(IND)을 승인 받았다. 이번 'LC542019' 1상 승인에 따라 생명과학사업본부 출범 5년만에 통풍 치료제 '티굴릭소스타트(Tigulixostat)'를 비롯해 총 10개의 임상개발 단계 신약 후보물질을 확보하게 됐다. LG화학은 미국에서 건강한 성인 및 제2형 당뇨병 환자 98명을 대상으로 'LC542019'의 안전성 및 내약성, 약동학(약물의 흡수·분포·대사·배출 과정) 및 약력학(약물 농도 및 치료 효과) 평가 등을 진행하게 된다. 'LC542019'는 인슐린 민감도 조절 단백질인 'GPR120'의 작용을 활성화 시켜 인슐린 저항성을 개선하는 약물이다. 인슐린은 혈액 내 포도당을 세포 안으로 이동시켜 에너지원으로 사용되게 하거나 세포에 저장되도록 도와주는 역할을 한다. 시장 조사 자료(GlobalData)에 따르면 제2형 당뇨병 치료제 글로벌 시장은 2021년 67조 원(565억 달러)에서 2029년 109조 원(919억 달러)으로 지속 성장할 것으로 전망된다.

LG화학이 각종 고형암 및 혈액암을 치료하는 면역항암제 개발을 본격화한다. 미국 면역항암제 개발 파트너사인 '큐바이오파마(Cue Biopharma)'는 최근 'CUE-102' 전 임상을 완료하고 본격적인 임상개발 단계 진입을 위한 최종 후보물질을 선정했다. 'CUE-102'는 각종 고형암 및 혈액암 세포에서 과발현 된 WT-1(Wilms Tumor-1, 윌름스 종양 유전자)을 인식, 이를 제거하는 T세포(면역세포)를 활성화시켜 특이적 면역 반응을 유도하는 약물이다. WT-1 발현 암종으로는 대장암, 급성골수성백혈병, 난소암, 소세포폐암, 삼중음성유방암 등이 있다.
'큐바이오파마'는 WT-1 항원에 선택적 반응하는 T세포의 증식 및 활성화를 확인한 전임상 결과를 바탕으로 1분기 내 미국 FDA에 임상 1상 시험계획(IND)을 제출할 예정이다.

아시아 지역 개발 및 상업화 권리를 확보하고 있는 LG화학은 추후 파트너사의 임상 1상 데이터를 바탕으로 아시아 지역에서 임상 2상을 본격화할 계획이다. 큐바이오파마의 체내 면역기능 조절 플랫폼 기술(Immuno-STAT)을 바탕으로 공동개발 중인 또 다른 신약 후보물질인 두경부암 치료제 'CUE-101'은 현재 미국 임상 1상 단계로 LG화학과 큐바이오파마는 'CUE-101', 'CUE-102' 개발 가속화를 통해 플랫폼 기술의 정밀성 및 확장성을 입증해 나갈 계획이다. 한편 LG화학은 현재 8개의 전 임상 및 임상개발 단계 항암 파이프라인을 확보하고 있으며, 항암분야 연구개발 역량 강화 및 오픈이노베이션 지속 확대를 통해 글로벌 경쟁력을 갖춘 항암 파이프라인을 지속 확대해 나갈 계획이다. 글로벌 시장조사 자료에 따르면 글로벌 면역항암제 시장은 2021년 48조원(405억 달러)으로 연평균 19.7%씩 성장해 2026년에는 118조원(995억 달러)에 달할 것으로 전망된다.[87]

87) LG화학 홈페이지 뉴스룸

4) ㈜보령바이오파마

▷ 개요

보령바이오파마

소재지 : 대한민국 서울특별시 종로구 창경궁로 136 보령빌딩
사원수 : 245명 (2022.2.)
웹사이트 : http://www.boryungbio.co.kr/
매출액 : 139,132,781,100원 (2021)
시가총액 : 9,033억 원 (2022.04.13. 기준)

보령바이오파마는 예방백신, 제대혈, 유전체 진단, 면역요법 알레르기 치료 등의 국내 생명공학 전문기업이다. 1991년 보령신약주식회사로 창립하여 국내 최초로 경구용 장티푸스 백신을 개발했고, 국내를 비롯한 미국, 일본, 영국 등 12개국 제조방법에 대한 특허를 취득했다. 나아가 지속적으로 연구 개발하여 일본뇌염백신을 개발했다. 바이오기업 도약을 위해 기업명을 ㈜보령바이오파마로 바꾸고 제대혈 사업을 신성장동력으로 제대혈 전문브랜드 '보령아이맘셀'을 출시하였다. 2011년에는 보건복지부 제대혈은행 개설 허가를 1호로 획득하여 안전성을 인정받았다. 향후 R&D 인프라를 바탕으로 줄기세포 연구, 세포 치료제 개발, 조직공학 연구를 해서 미래 의학 발전에 기여할 것으로 보인다.

▷ 주요 제품

보령세포배양일본뇌염백신 주	유희브 주	보령플루V / VIII 테트라백신 주

보령 DTaP-IPV 백신	녹십자Td백신 주	보령디티에이피백신 주
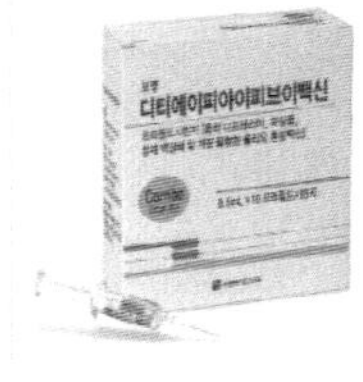		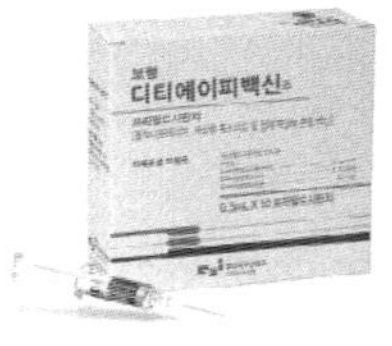
보령A형간염백신프리필드시린지주	스카이바리셀라 주	유박스B 주 (소아)
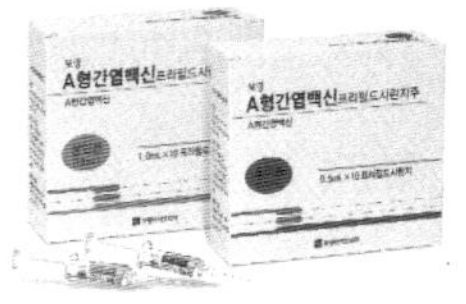	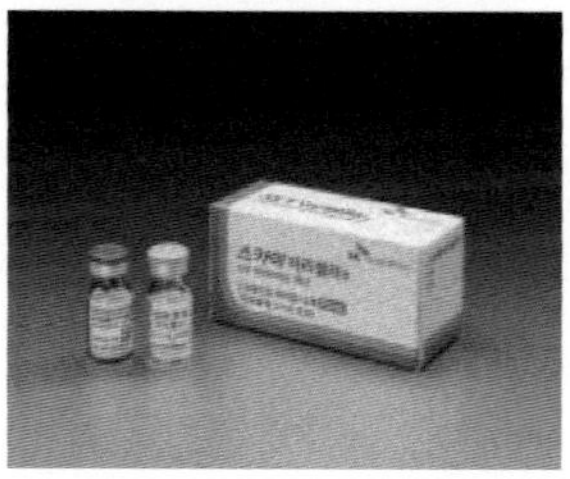	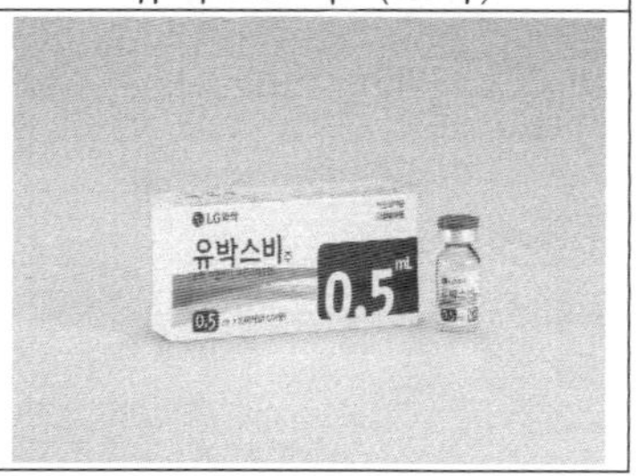

아이피박스 주 프리필드시린지주	지로티프 주
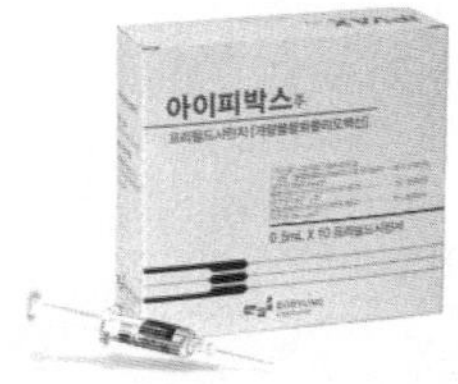	

표 18 보령바이오파마 백신주요제품

▷ 주요 파이프라인

Kanarb Value-up 파이프라인

'Kanarb Value-up Pipeline'은 다수의 대사성 질환을 동반한 고혈압환자까지 통합치료가 가능한 제품군으로 구성되어져 있고, 전 제품 모두 자체 개발한 합성신약 및 개량신약입니다.
'Kanarb Value-up Pipeline' 개발은 고혈압 단일제 및 복합제 시장에서의 매출 확대 뿐만 아니라, 글로벌 L/O를 통해 카나브 국제경쟁력을 강화하는데 동력으로 작용할 것입니다.

(2022년 1월 기준)

구분	프로젝트명	적응증	Discovery	Pre-clinical	Phase 1	Phase 2	Phase 3
개량신약	BR1010	고혈압					
	BR1015	고혈압					

파이프라인

주력 질환군인 항암.항생.순환기 등을 중점으로 R&D 포트폴리오를 강화하고 있으며, 향후 시장이 성장할 것으로 전망되는 질환군을 중심으로 신규 파이프라인을 추가하고 있습니다. Unmet needs를 충족시킬 수 있는 합성신약 및 개량신약 개발에 주력하고 있으며, 미래성장동력이 될 것으로 예상되는 첨단 바이오 의약품 발굴을 위해 노력하고 있습니다.

(2022년 1월 기준)

구분	프로젝트명	적응증	Discovery	Pre-clinical	Phase 1	Phase 2	Phase 3
신약	BR2002	암					
	BR2010	암					
	BR2011	암					
	VT-EBV-201	암					
도입신약	Lurbinectedin	암					
	Plitidepsin	암					
	PeproStat	지혈					
	ReadyFlow	지혈					
개량신약	BR4002	알츠하이머					
	BR9003	금연보조치료					
	BR3003	당뇨					

그림 147 보령 파이프라인

보령바이오파마와 보령(보령제약)은 보령 홀딩스의 계열사이다.

▷ 최근 이슈

보령바이오파마가 투자자(FI)에게 410억 원의 투자금을 조달받았다. 보령바이오파마는 백신 제제 제조 의약업체로 해외에서 생산하는 백신의 국산화를 추진하고 있는 기업이다. 투자자들은 해외 제조 백신의 국산화에 큰 기대를 걸고 이번 투자를 결정했다. 국산화에 성공한 백신은 향후 가격경쟁력에서 유리해 동남아 등 타국에서 큰 수익을 얻을 것으로 기대된다. 보령바이오파마는 성장세에 박차를 가해 3년 안에 상장을 목표로 하고 있다.

보령바이오파마는 지난달 투자 관계사인 포바이오코리아의 연구 부문을 인수해 mRNA 신약 개발사 '비피진'을 설립했다. 생물학적 소재 개발 기업인 포바이오코리아는 지난 2014년부터 독자적인 mRNA 기술을 이용해 신약을 개발하고 있다.
보령바이오파마는 R&D 역량을 확보하기 위해 2017년 포바이오코리아에 투자해 mRNA 의약품 기반 기술 도입을 추진해왔다. 비피진은 암세포 내부 대사를 조절해 암세포 증식을 원천 억제하는 기술을 보유하고 있다.[88]

보령바이오파마의 A형간염백신이 의료 현장의 수급 불균형 해소에 크게 기여하고 있다.
보령바이오파마의 A형간염백신은 국내 최초로 한국인을 대상으로 임상시험을 진행했으며 보령바이오파마 진천공장에서 제조하는 유일한 국내 제조 A형간염백신이다.
A형간염백신은 지난 2015년 국가예방접종(NIP)으로 전환됐지만 수입 완제품 3종만 공급되어 국내 상황에 맞는 충분한 공급이 이루어지지 않아 의료 현장의 만성적인 공급 불안정이 지속됐다. 2021년 말 수입 완제품 3종 중 가장 매출 규모가 큰 다 국적제약사 G사 A형간염백신의 갑작스러운 출하 중단으로 백신 수급에 문제가 발생할 수 있었으나, 보령 A형간염백신이 신규 접종 및 추가 접종 등 대체 백신으로 충분히 공급되어 시장의 혼란을 피할 수 있었다.[89]

88) 세계비즈 "백신개발에 나선 제약 바이오 업계 올해 백신주권 확보 원년"
89) 메디컬투데이 '보령바이오파마 A형간염백신 수급 불균형 해소 기여'

5) ㈜한국백신

▷ 개요

소재지 : 대한민국 경기도 안산시 단원구 목내로 128

사원수 : 189명 (2021.6.)

웹사이트 : http://www.koreavaccine.com/

매출액 : 433억 9,666만 원 (2021.06)

한국백신은 예방의약품 및 의료용구전문 생산 업체로서 1956년에 설립되었다. 이후 지속적으로 인체백신, 의료용구(주사기, 카테타, 수액세트)를 연구, 개발, 생산 및 공급에 매진한 결과 백신의 제조와 판매ㆍ유통 그리고 CMO전문기업이 되었다.

현재 미국, 인도, 대만, 파키스탄, 남아프리카공화국, 러시아 등의 해외시장에 수출하고 있으며, 2002년에는 유럽기준 품질마크 CE를 획득했다. 현재는 다국적제약사 PFIZER, NOVARTIS, GLOVAX뿐만 아니라 여러 회사들과 협력을 바탕으로 신제품 개발에 박차를 가하고 있다. 제약 사업부에서는 안산 반월 공단의 연간 천만도스 이상의 백신을 제조할 수 있는 KGMP 적합 설비를 갖추었다. 또한 모든 시설과 구조물, 기기들에 IQ, OQ, PQ와 validation이 완료된 국제수준의 GMP 공장을 가지고 있으며, 단위시간당 최대 생산성을 갖는 Pre-Filed syringe 충진 라인 및 생산 자동화 시설을 보유하고 있다. 이를 통해 백신제조 전문 CMO 기업으로 거듭나고 있다. 게다가 안산공장 부지 옆에 3천여 평의 부지를 신규로 매입하여 백신전문 보관 물류창고를 신축함으로써 백신제제 수탁창고 역할을 수행하고 있다. 현재 생산되는 백신의 종류는 14개이다.

▷ 주요 제품

경피용 건조 비씨지 백신(일본균주)	코박스 플루 4가 PF주	코박스 인플루 4가 PF주
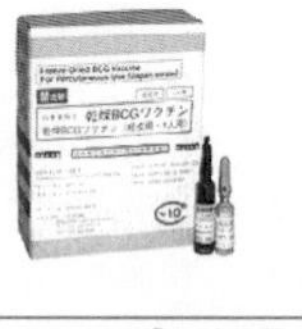		

코박스 플루 PF 주	코박스 인플루 PF 주
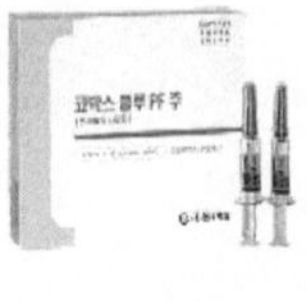	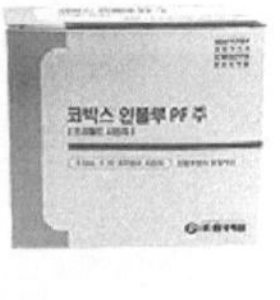

표 19 ㈜한국백신 주요제품

▷ 최근 이슈

한국백신이 제조한 인플루엔자 백신(독감 백신) 코박스플루4가PF주에서 백색 입자가 확인되면서, 보건소가 일선 의료기관에 접종 중단을 통보했다. 전국 보건소는 12일 식품의약품안전처의 회수 조치 결정에 따라 관내 독감백신 위탁 의료기관에 이 같은 내용을 공지했다.
회수·접종 중단 백신은 제조번호 PC200701(유효기간 2021년 7월 1일), PC200702(2021년 7월 2일), PC200801(2021년 8월 11일), PC200802(2021년 8월 12일) 등이다.
보건소는 "정부 조달업체인 신성약품을 통해 공급받은 제품은 물론, 의료기관에서 개별 구매한 백신이라도 해당 제조번호일 경우 즉시 사용을 중단해야 한다"고 밝혔다.
또한 회수와 재공급 일정은 아직까지 정해지지 않았으며, 추후 논의를 통해 재안내할 예정이라고 덧붙였다. 이에 따라 당초 신성약품의 상온노출 운송 사태로 인해 접종이 한 차례 미뤄진 만13~18세 무료 접종(9월 23일)는 물론, 오는 13일 진행 예정인 만75세 이상 무료 접종, 19일 예정된 만70세 이상 무료 접종, 26일 예정된 만 62세 이상 노인 무료 접종 등 국가 필수예방접종사업(NIP) 사업 전체가 연기될 전망이다. 정은경 질병관리청은 지난 8일 국정감사를 통해 "지난달말 상온에 노출된 13세~18세 무료접종 대상 백신 대부분은 문제가 없고, 정상적으로 접종이 가능한 것으로 나타났다. 이에 따라 13~18세 대상 무료접종 백신 539만 도즈 중 영하로 운송되거나 온도를 기록하지 않은 48만도즈만 수거키로 했다"면서 "오는 12일 예방접종심의위원회를 열어 이르면 13일부터 국가 무료접종 사업을 재개할 것"이라고 밝혔다. 그러나 이번 백색물질 사태로 인해 또다시 차질이 빚어진 것이다.[90]

한국백신판매는 한국컴플라이언스인증원으로부터 국제표준 부패방지경영시스템인 'ISO 37001' 인증을 획득했다. ISO 37001은 모든 산업분야에 적용 가능하도록 국제표준화기구(ISO)가 제정한 부패방지 경영시스템으로, 인증을 획득한 기업은 부패방지경영시스템의 수립과 실행, 유지, 개선에 관한 국제적 기준을 갖춘 기업으로 평가받는다. 한국백신판매는 지난해 ISO 37001을 준비하며 내부심사원, 부패리스크평가자를 양성하고, 회사 부패방지 방침을 토대로 각 부문별 리스크 식별 및 통제수단 마련, 목표설정, 교육훈련 및 모니터링 등 부패방지 관리시스템을 구축했으며, 이번 심사를 거치면서 임직원들의 자율적인 실천의지 또한 한 단계 발전시키는 계기가 되었다.[91]

90) 메디게이트, 의료기관 '한국백신' 독감 백신 접종 중지·회수 조치..."이러다 중국산 백신 수입할라" 서민지
91) 메트로신문 '한국백신판매, 국제표준 부패방지경영시스템 ISO37001인증 획득'

06 백신 기술·연구 현황

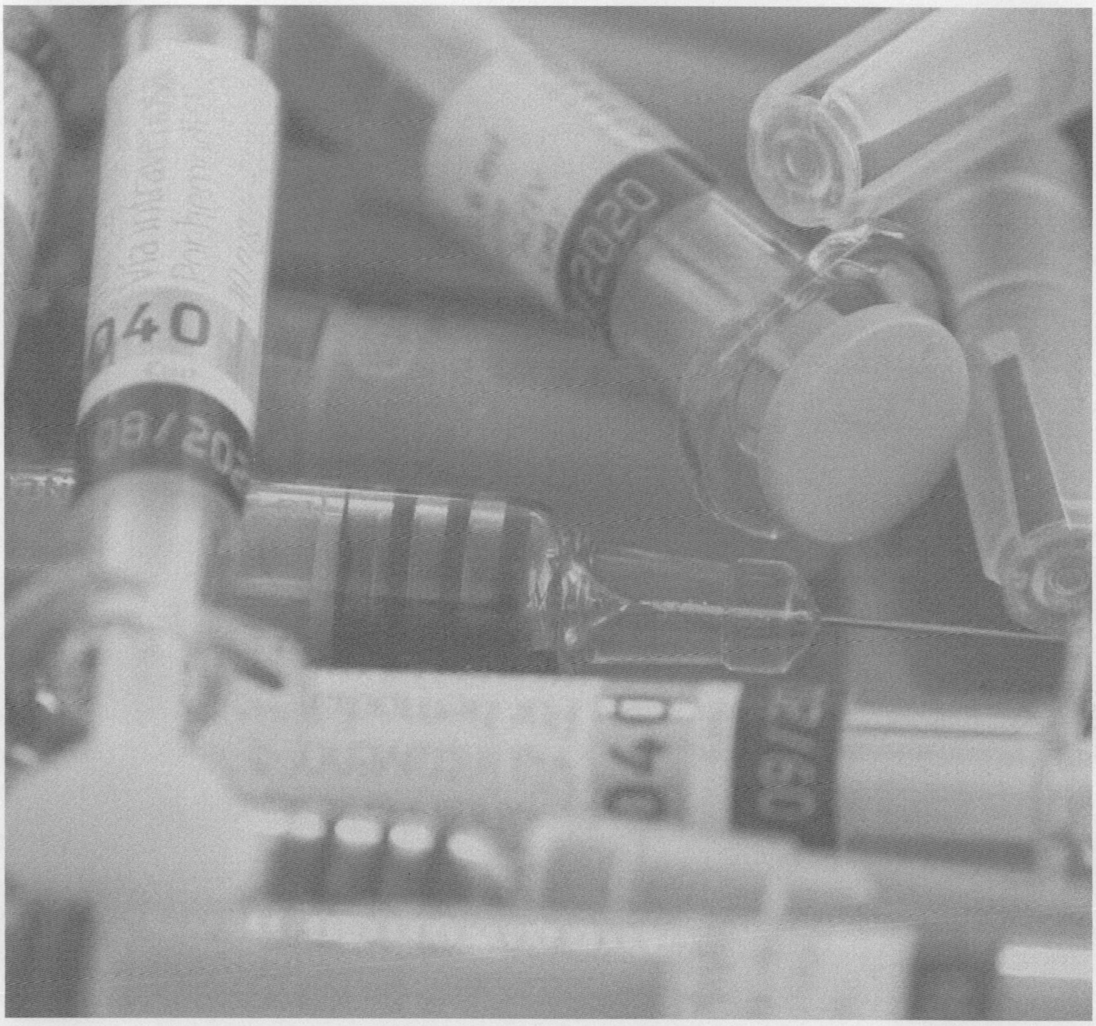

6. 백신 기술·연구 현황

가. 백신기술과 적용사례

1) 백신 개발 기술[92)]

① A Novel Virus-Based Expression System
벡터 단백질 자체의 발현이 높아 타깃이 되는 항원의 면역성이 낮아지며 벡터에 대한 면역이 생기는 문제점을 해결한 새로운 바이러스 기반 발현벡터이다.

② Novel Epstein-Barr Virus Vaccines
급성 감염성 단핵세포증가증의 주요원인으로 버킷 림프종, 호킨스 림프종, 상인두암, 인두암, 신경계통의 마비 등을 일으키는 앱스테인-바 바이러스에 대한 백신이다. 바이러스의 표면에서 자가 조립되는 단백질이 다양한 형태의 다중결합을 하여 나노입자를 형성하는데, 이것을 백신의 타겟으로 사용한다.

③ Multivalent Immunogenic Peptides (Vaccines) for the Treatment of Prostate and Breast Cancer
TARP 단백질은 전립선암의 95%, 유방암의 50%에서 발견되는 특이 단백질이다. 면역성을 유도하는 펩타이드와 TARP 단백질과의 조합을 통해 항 암세포 특이 면역반응을 유도하여 암세포를 선택적으로 죽이며 암 백신의 개발 또한 가능한 기술이다.

④ Broadly Neutralizing Human Anti-HIV Monoclonal Antibody 10E8 and Related Antibodies Capable of Neutralizing Most HIV-1 Strains
지금까지 확인된 항 HIV항체 중 강력하고 넓은 범위의 중화 능력을 가지는 항체이다. HIV 바이러스 외피 단백질인 gp41의 MPER 특이적인 항체이다. 10E8은 효과적으로 항체의존성 세포 독성을 유도하여 치료백신으로의 가능성 또한 높다.

⑤ Vaccine for Shigella sonnei for Both Children and Adults
급성장염, 세균성이질의 원인균 중에 주요한 Shigella sonnei의 예방백신이다. 성인과 영유아 모두에 적용가능하며 항원으로 낮은 분자량의 O -SP core fragment를 사용하며 동물실험에서 높은 면역원성을 나타내었다. 박테리아로부터 항원의 분리가 쉬워 백신 생산 공정이 용이하다.

⑥ Live Attenuated RSV Vaccines Based on Codon-Pair Deoptimization
세포융합 바이러스(RSV)의 생 불활성 기술을 사용한 RSV 백신이다. 이 불활성화 바이러스는 Codon deoptimization으로 고유의 아미노산의 차이가 생기지 않는 몇 백에서 몇 천의 뉴클레오타이드 치환으로 만들어진다.

⑦ DNA Promoters and Anthrax Vaccines
새로운 탄저병백신 기술로, 발현된 단백질 분비 단백질 유전자와 변형된 PA를 발현하는 프로

92) 치료용 백신 개발동향, 보건산업기술동향 2004-봄, (주)제넥신 손종문, 2004.

모터를 융합해 제조한 플라스미드를 활용한다. 이 기술에 의해 생산된 항원은 안정적이며, 높은 면역성을 유도하였으며, 탄저균의 치명적인 독소를 중화하는 동시에 100%의 생존율을 보인다. 또한 단순한 공정으로 저비용으로도 생산이 가능하며 온도변화에 안정적이고, 경구 투여가 가능하다는 장점을 가지고 있다.

⑧ Human Rotavirus Strains and Vaccines for Neonatal Childhood Protection
로타 바이러스는 영유아에게서 발생하는 위장간 감염의 가장 대표적인 원인균으로 개발도상국뿐만 아니라 선진국에서도 발병하고 있다. 이 기술은 신생아 백신 개발을 위한 로타 바이러스 균주인 Rotavirus A CDC-9과 CDC-66 두 가지 균주를 포함한다. 경구형, 주사형 두 가지 접종법을 모두 적용가능 하며 다른 백신과의 혼합백신 형태의 접종 또한 가능하다.

⑨ Select M. tuberculosis Peptides as Mucosal Vaccines Against Pulmonary Tuberculosis
폐결핵에 대한 새로운 백신 기술로 기존 BCG vaccine 백신의 성인 폐결핵에 대한 예방효과의 한계와 약제 내성균의 증가를 보안할 수 있다. 향상된 백신 형태로 개발되어 주사제가 아닌 비강내로 흡입하여 원인 결핵균의 침입 경로인 폐에서의 강력한 면역 효과를 유도한다.

⑩ Multivalent Meningococcal Conjugates and Methods for Preparing Conjugates
수막구균성 수막염에 의한 박테리아성 수막염의 예방백신으로 주로 유행하는 혈청형인 meningococcal serogroups, A, B, C, W-135, Y 형에 serogroup B타입이 추가된 향상된 다가의 박테리아성 수막염 백신 기술이다. 다당체가 아닌 fHbp을 항원으로 하며, 높은 공정 수율과 능률적인 접합백신 방법을 통해 저비용으로 백신을 생산할 수 있다.

구분	플랫폼	정 의
1세대	생백신 (약독화)	• 질병을 일으키는 바이러스나 균의 활동을 둔화시켜 사람의 몸안에서 항체만을 만들 수 있도록 하여 제조되는 백신
	사백신 (불활성화)	• 병원체를 배양한 후 화학물질, 열처리 등을 통해 체내에서 증식하지 못하도록 만든 백신
2세대	아단위 백신	• 병원체를 분쇄하거나 유전자 재조합을 통해 항원을 만드는데 필요한 부위만을 이용하는 백신
	펩타이드 백신	• 감염체의 단백질 중 실제 면역반응에 관여하는 부분으로 한정하여 단백질 보다 짧은 아미노산 중합체(2~50개)인 펩타이드를 합성하여 만든 백신
	톡소이드 백신	• 병원체 자체가 아닌 병원체가 만들어내는 독소(톡신)에 대한 백신 • 열 또는 화학물질로 처리하여 독성은 제거하고 면역원성을 유지
	다당류 및 단백접합 백신	• 균의 세포막에 존재하는 다당류를 항원으로 사용하는 백신 • 단백접합백신은 다당류 백신의 면역 유도 효과를 강화하기 위해 단백질과 캐리어 단백질을 결합시켜 만드는 백신
	바이러스 유사입자 백신	• 유전물질 없이 바이러스 껍질을 구성하는 표면항원 단백질을 바이러스와 유사한 입자로 만들어 주입하는 백신
3세대	바이러스벡터 백신	• 항원 단백질의 염기서열을 가진 DNA를 아데노바이러스유사바이러스(AAV) 등 인체에 무해한 껍질로 감싸 주입하여 체내에서 항원 단백질을 생산하는 백신
	mRNA 백신	• 항원을 만들 수 있는 염기서열을 가진 mRNA를 지질나노입자(LNP) 등 전달체와 함께 주입하여 우리 몸의 세포가 항원 단백질을 만들게 하는 백신
	DNA 백신	• 항원을 만들 수 있는 염기서열을 가진 DNA를 체내 주입한 후 전기천공(electroporation) 등의 방법으로 세포 내로 보내고 이후 우리 몸의 세포가 항원 단백질을 생산하는 백신

그림 155 코로나19 대응 주요 백신 플랫폼 기술 (출처: 한국과학기술평가원)

2) 개발기술 적용사례 93)

① Cervarix®

자궁경부암 예방백신으로 인유두종(HPV)의 HPV16과 HPV18에 대한 2가 백신이다. MedImmune사와 GlaxoSmithKline사에 판권이 있으며 2009년 FDA 승인을 받았다.

② Gardasil®

자궁경부암 예방백신으로 HPV6, 11, 16, 18형에 대해 면역원성을 보이는 4가 백신이다. Merck사에 판권이 있으며 2006년 FDA 승인을 받았다. 지금까지 나온 예방백신 중 가장 고가이며, 2014년 NIH 전체 로열티 수입 순위에서 두 번째로 많은 기술료를 지급받고 있는 기술이다.

③ Twinrix®

A형 감염과 B형 간염의 혼합백신으로 백신 접종 횟수는 줄여 접종의 편의성이 높다. GlaxoSmithKline사에 판권이 있으며 2001년 FDA승인을 받은 백신이다.

④ Havrix®

세계최초로 개발된 A형 간염백신으로 전 세계 100여 개국에서 1억 도즈 이상 접종된 백신이다. NIH에서 개발한 바이러스 세포주 HM-175와 불활성화 바이러스 기술을 토대로 GlaxoSmithKline사와의 공동연구개발계약을 통해 상용화하여 1995년 FDA승인을 받았다.

⑤ Menactra®

메낙트라주는 2005년 세계 최초로 미국 FDA 승인을 받은 4가 수막구균 단백접합 백신이다. 생후 9개월~만 55세 까지 발생하는 수막구균성 감염증의 주요 혈청형인 A, C, Y, W-135를 예방한다. 현재 Sanofi Pasteur에 판권이 있다.94)

⑥ Avaxim®

불활화 A형 간염 바이러스 예방백신으로 바이러스주는 GBM주, 세포주는 MRC5를 사용한다. 80unit은 소아용, 160unit은 성인용으로 구분되어 있다. Sanofi Pasteur사에 판권이 있으며 국내에 소아용은 2006년에 성인용은 2011년에 허가되었다.

⑦ Shingrix

GlaxoSmithKline의 대상포진 백신 Shingrix는 대상포진과 합병증을 예방하기 위해 2~6개월 간격을 두 번 투약하는 백신이다. 2017년 FDA 승인을 받았으며, 경쟁사 MSD의 Zostavax와 SK케미칼의 스카이조스터보다 더욱 효과적으로 평가된다.

⑧ 코로나19 BNT162b2

- 2020년 11월 독일의 바이오 엔테크와 미국의 화이자가 공동 개발한 백신이다. FDA긴급 사용승인을 받았으며, 임상3상 결과 예방효능은 95%로 나타난다.

---

93) 치료용 백신 개발동향, 보건산업기술동향 2004-봄, (주)제넥신 손종문, 2004.

94) eMD Medical NEws, 사노피 파스퇴르㈜ - 한독, 협약 체결,

⑨ 코로나19 mRNA-1273

- 2020년 12월 미국의 모더나와 국립알레르기 전염병연구소(NIAID)가 공동 개발한 백신이다. FDA긴급 사용승인을 받았으며, 임상3상 결과 예방효능은 94.1%로 나타난다.

⑩ 코로나19 아스트라제네카(AZD1222), 얀센(Ad26.COV2-S)

- 침팬지의 아데노바이러스를 변형한 운반체(벡터)에 코로나19 바이러스의 스파이크 단백질 염기서열에 해당하는 DNA를 넣어 개발한 백신이다.

⑪ 코로나19 노바백스의 NVX-CoV2373

- 코로나19 바이러스의 스파이크 단백질을 재조합 하여 면역 증강제 Matrix-M과 함께 투여 한 백신이다.[95]

---

95) 한국과학기술평가원 기술동향브리프 '백신 플랫폼 기술'

나. 기술동향 분석[96]

1) 국내

국내특허 출원동향을 살펴보면 2009년 이후부터 출원건수가 증가하고 있고, 내국인 출원비율에 있어서는 40% 후반의 비중을 차지한다. 국내 전체특허의 내외국인 비율은 한국인이 48%, 외국인이 52%를 점유하여 외국인의 특허출원비율이 상대적으로 높은 경향이 있다.

출원인별로 구분하면 해외출원인의 특허비율이 52%로 가장 높은 점유율을 가졌으며, 연구소/대학/공공기관이 24%로 그 뒤를 이었다. 이외에 대기업, 중소기업, 개인은 각각 15%, 7&, 4%로 분석된다. 이에 따라 백신 분야는 해외출원인 및 연구소/대학/공공기관이 시장 진출을 위한 기술기반을 마련하고 있음을 알 수 있다.

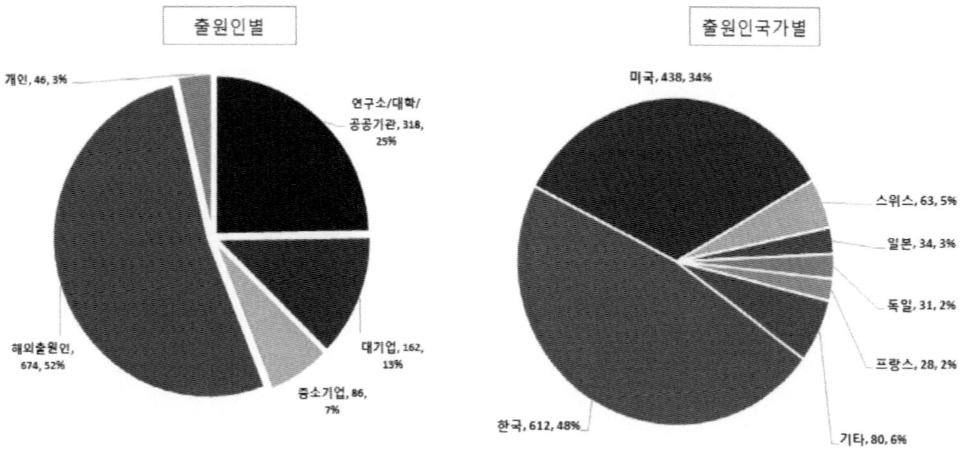

그림 49 국가별 출원인별/출원인 동향

96) 중소기업 기술 로드맵, 바이오, 백신, 기술로드맵

< KIPO 등록건 기준 다출원 순위>

2000~2009년			
순위	출원인	건수	점유율
1	전남대학교	1	50%
2	바이오리더스	1	50%
3	한국국적 기타 출원인	0	0%
	합계	2	100%

2010~2020년			
순위	출원인	건수	점유율
1	단바이오텍	2	33.3%
2	연세대(IACF)	1	16.7%
3	전남대학교	1	16.7%
4	한국생명공학연구원	1	16.7%
5	에이티젠	1	16.7%
6	한국국적 기타 출원인	0	0%
	합계	6	100%

그림 157 국내 코로나백신 다 출원 순위

2001~ 2010년까지 등록건수의 상위 국내 출원인은 전남대학교, 바이오리더스로 각각 1건 씩 등록된 것으로 나타나며, 2011~ 2020년까지 등록건수 상위 국내출원인은 단바이오텍 2건, 연세대학교, 전남대학교, 한국생명공학연구원, 에이티젠이 각각 1건씩 등록된 것으로 나타났다.\

⑤ 한국국적 출원인 구분에 따른 출원·등록 점유율

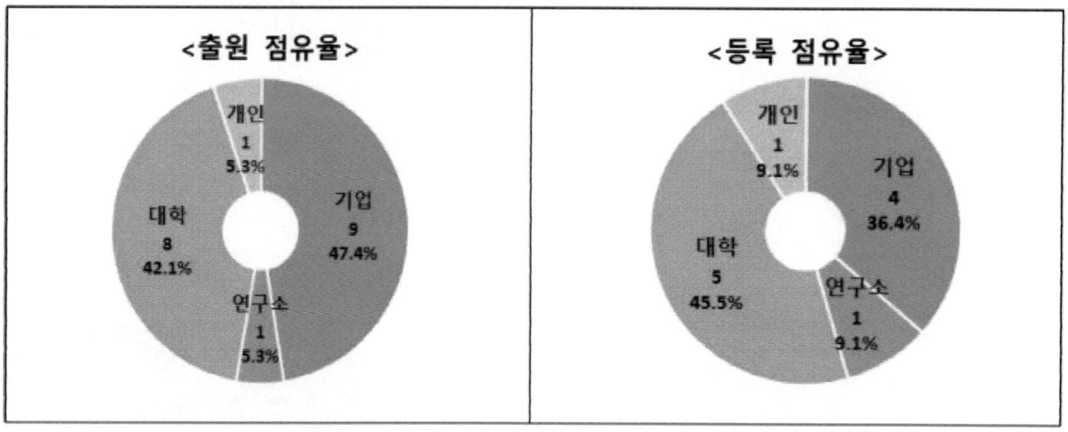

그림 158 한국국적 출원/등록 점유율

⑥ 내국/외국/선도기업(Top1)의 KIPO 내 점유율 추이

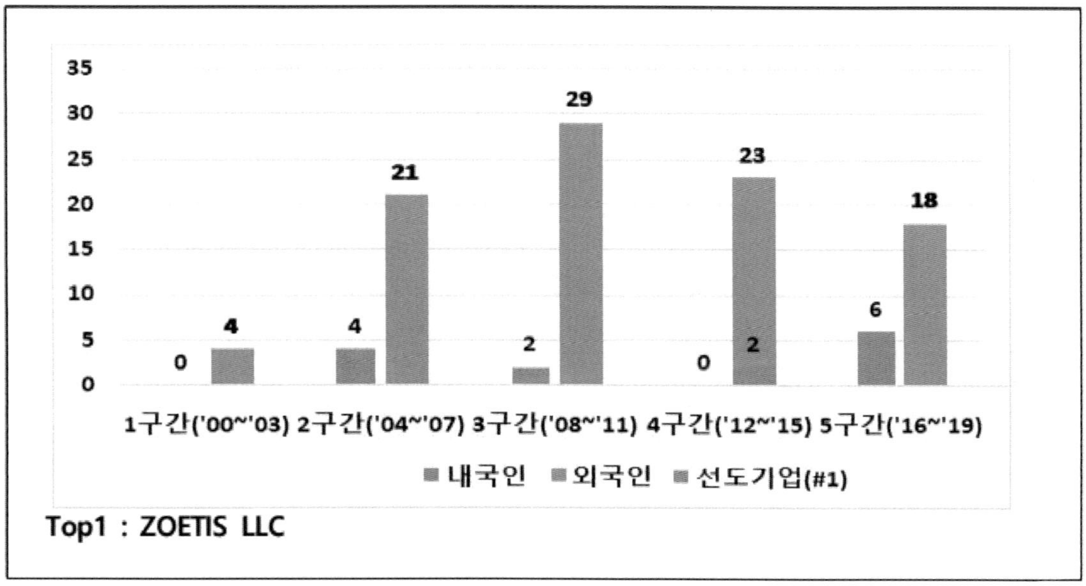

그림 159 내국/외국/선도기업 점유율 추이

국내 코로나 백신 분야의 국내 출원은 대부분 외국인에 의한 출원이 모든 구간에서 내국인 출원보다 많고, 선도기업 Top1에 의한 출원은 4구간(2012~2015년)에서 2건 출원된 것으로 나타났다.[97]

97) 특허청 '특허통계 분석 보고서' 코로나바이러스 백신

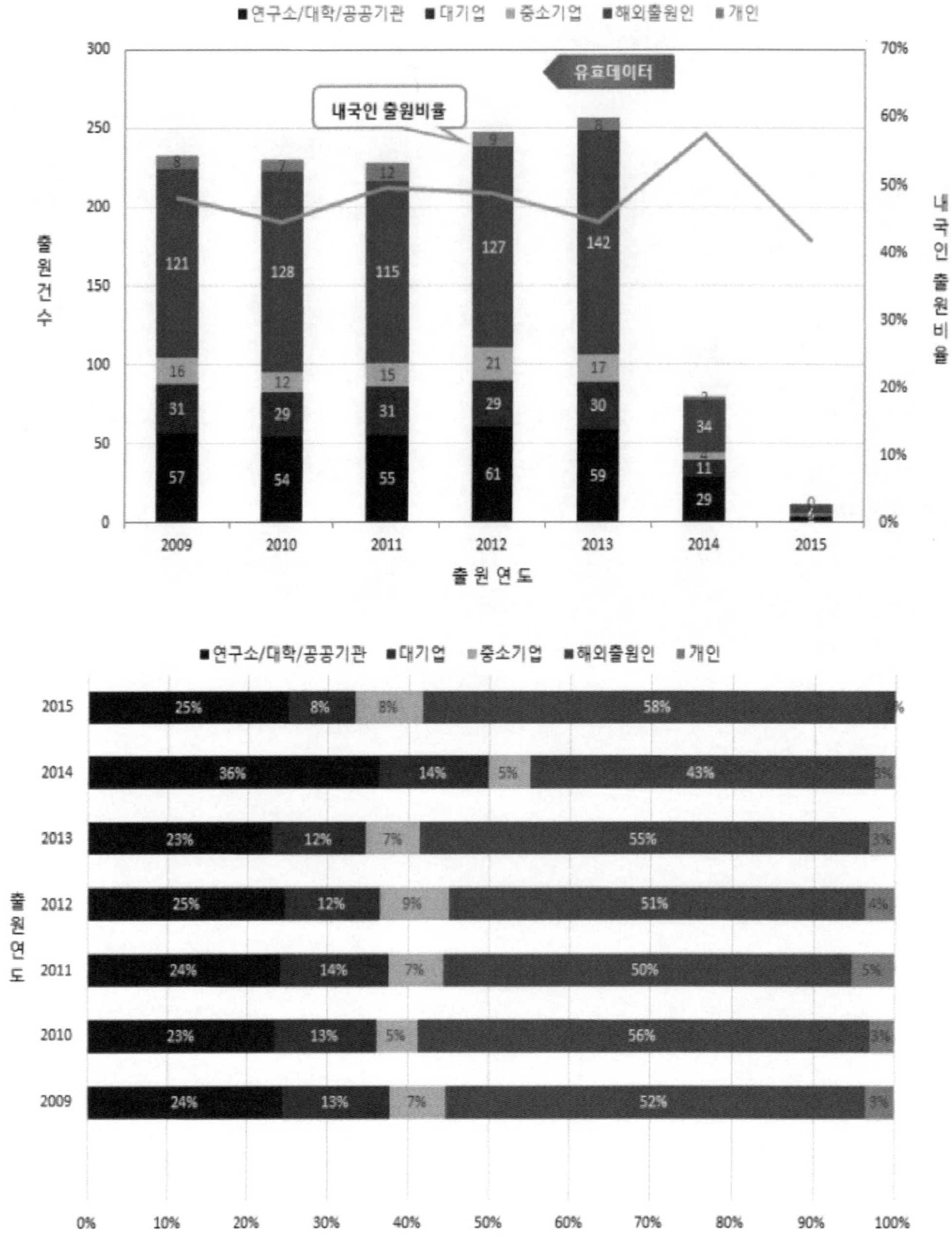

그림 50 연도별 국내 출원동향 및 연도별 내국인/출원인 출원 비율

국내 백신 주요출원인 현황을 보면 연구소/대학/공공기관이 중소기업과 대기업보다 특허 출원 활동을 더욱 활발히 진행하는 것으로 조사되었다.

연구소/대학/공공기관에서는 가톨릭 대학교 산학협력단(KR)이 최다출원인으로 분석되었다.

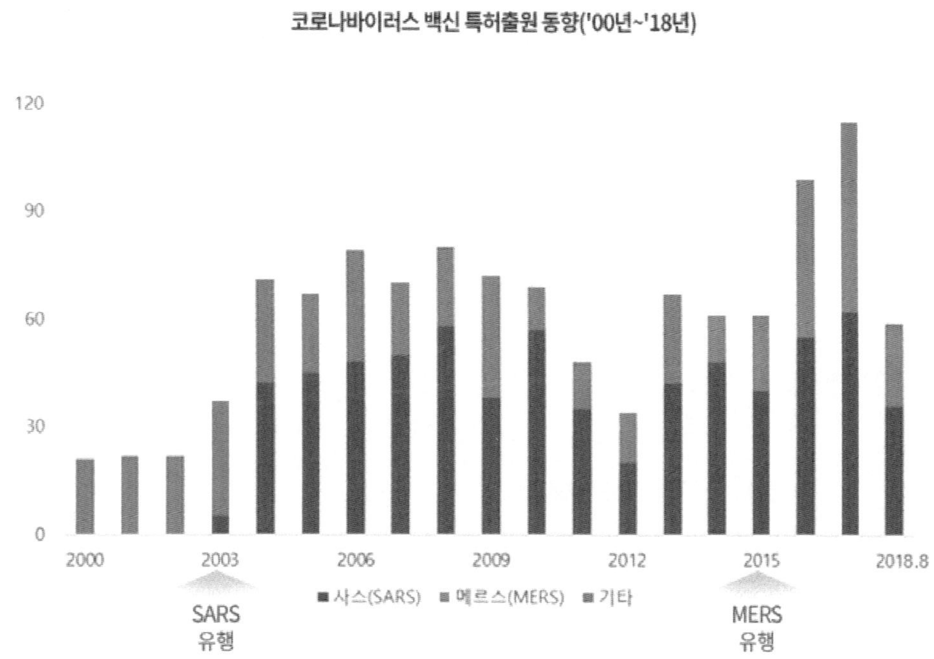

그림 161 코로나바이러스 백신 특허출원 동향(2000~ 2018)

백신 특허출원은 코로나바이러스에 의한 감염증 발생 후 1~2년 정도 시간차로 급격히 증가하였다가 종식 후 감소하는 패턴을 보였다. 최근 20년간(2000.1.1.~2019.12.31.) 코로나바이러스 관련 항바이러스제 출원은 총 624건, 그 중에서 사스(SARS)관련 출원이 369건, 메르스(MERS)관련 출원은 107건으로 나타났다.[98]

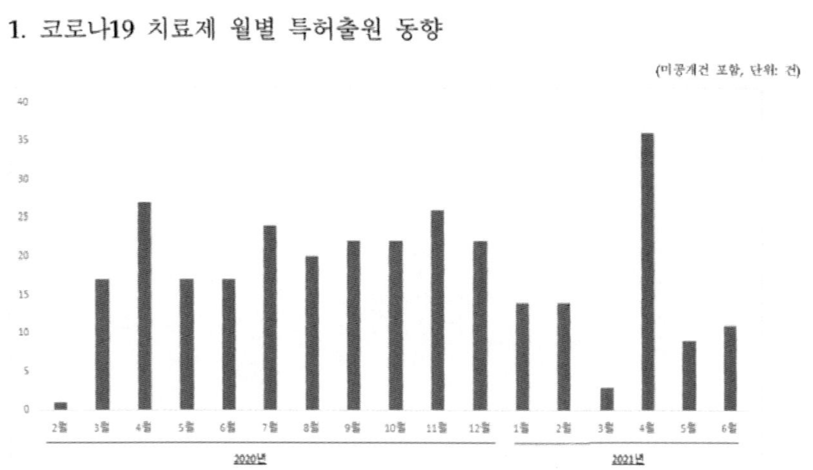

그림 162 국내 코로나19 백신 월별 특허출원(2020 ~ 2021.06)

백신 접종에도 불구하고 변이 바이러스에 의한 감염자가 속출하는 등 코로나19 사태가 진정

98) 특허청 '치료, 진단, 방역 등 주요 특허기술 동향'

될 기미가 보이지 않는 가운데 코로나19 치료제 관련 특허 출원이 활발한 것으로 나타났다. 특허청에 따르면 코로나19 발병 초기인 지난해 2월부터 올해 6월까지 총 302건의 코로나19 치료제 관련 특허가 출원됐다. 이 가운데 코로나19에 대한 항바이러스 효과로 등록된 특허 출원은 총 13건이다. 국내 코로나 19 치료제 특허를 출원인별로 보면 국내 제약사 등 기업이 147건으로 가장 많았다. 정부기관 및 출연연구소(66건)과 대학(55건)이 뒤를 이었고, 개인(30건)과 외국인(4건)도 출원했다.[99]

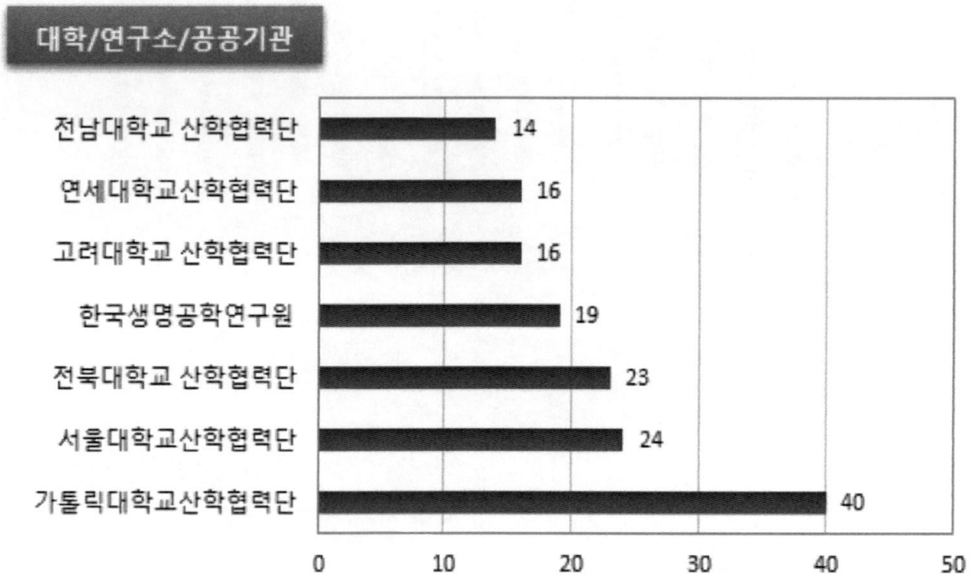

그림 51 대학/연구소/공공기관의 출원 활동

대기업에서는 아모레퍼시픽(KR)이 15건으로 최다출원을 기록하였다.

99) 한국일보 '백신이어 코로나19 치료제 개발도 늦지만 특허출원은 활발'

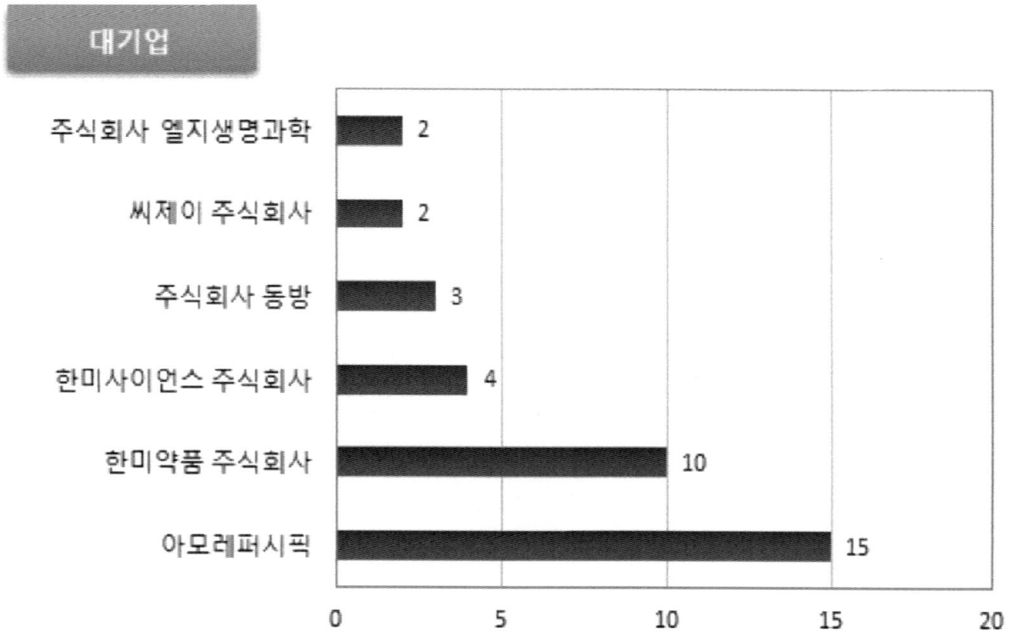

그림 52 대기업의 출원 활동

중소기업에서는 아이진 주식회사가 10건으로 최다출원을 기록하였다.

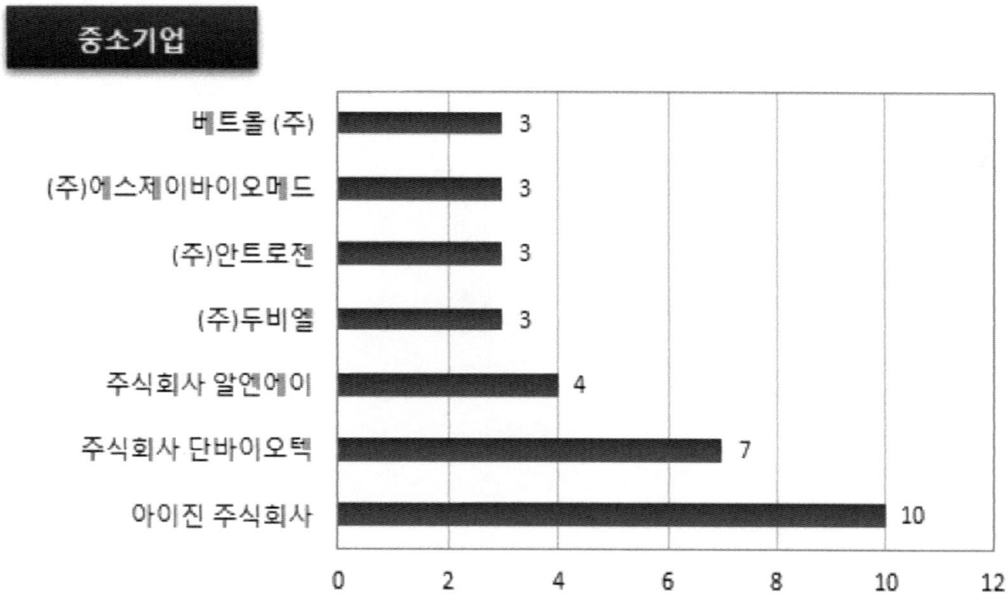

그림 53 중소기업의 출원 활동

2) 해외[100]

백신을 대상으로 특허는 총 6,244건이 있다. 각 국가의 출원동향을 보면 일본을 제외하고 전반적으로 감소하는 추세를 보이고 있다. 미국은 3,648건으로 58%을 차지하며 가장 높은 점유율을 나타냈다. 한국은 1,286건으로 21%, 일본은 779건으로 12%, 유럽은 531건으로 9%의 점유율을 보였다. 미국의 경우 자국 국적 출원인에 의한 출원이 활발하고, ZYMOGENETICS INC (US)가 최상위 출원인이며, 유럽은 INSTITUT PASTEUR (FR)가 최상위 출원인으로 파악된다.

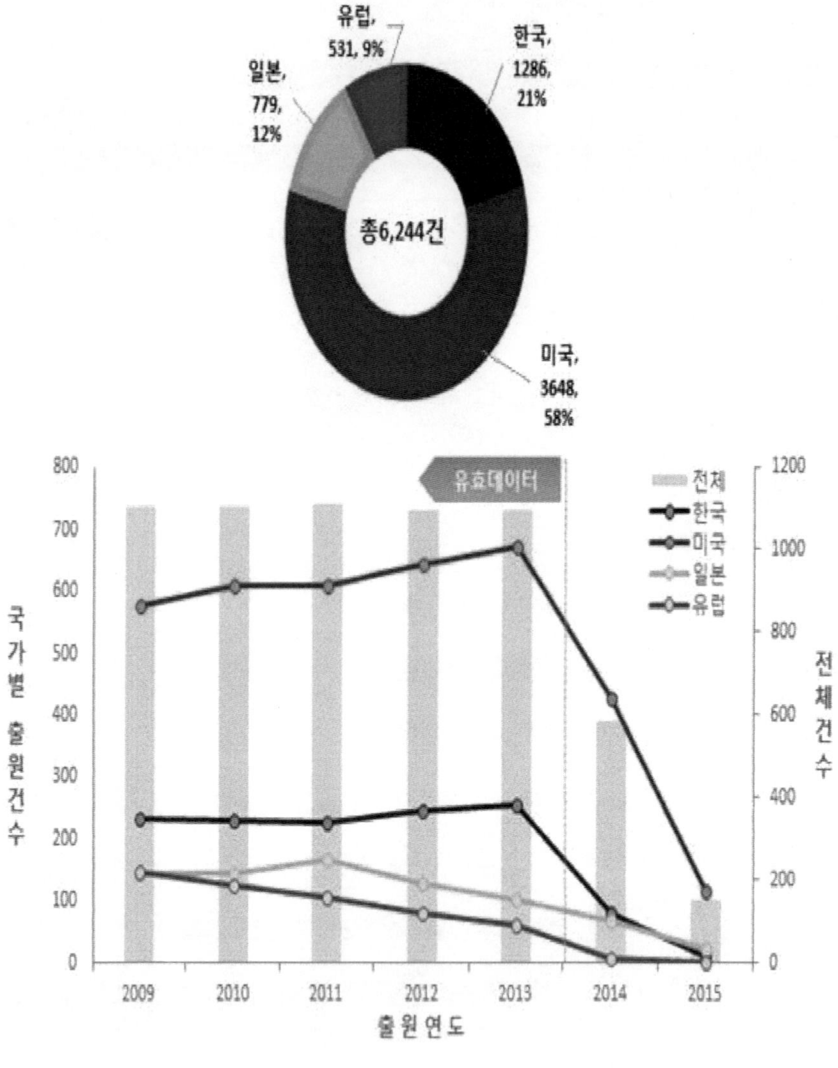

그림 54 각 국가의 연도별 출원동향

100) 특허청 '특허통계 분석 보고서' 코로나백신

<IP5 전체 출원·등록건수>

발행국	KIPO	USPTO	JPO	EPO	CNIPA	전체
출원건수	107	533	226	281	233	1,380
등록건수	40	279	95	122	93	629

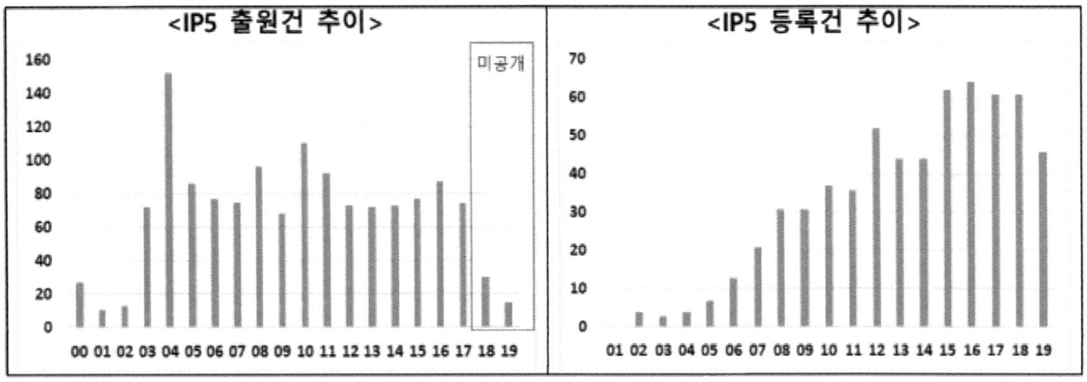

그림 167 글로벌 IP5 백신 특허출원 등록건수

IP5출원 건수는 2004년에 152건으로 가장 많이 출원되었으며, 이후 80건 내외로 출원되고 있는 것으로 나타난다. 등록건수는 지속적으로 증가하고 있으며, 최근 2015~2018년 사이에는 60건 이상이 등록되고 있는 것으로 나타난다.

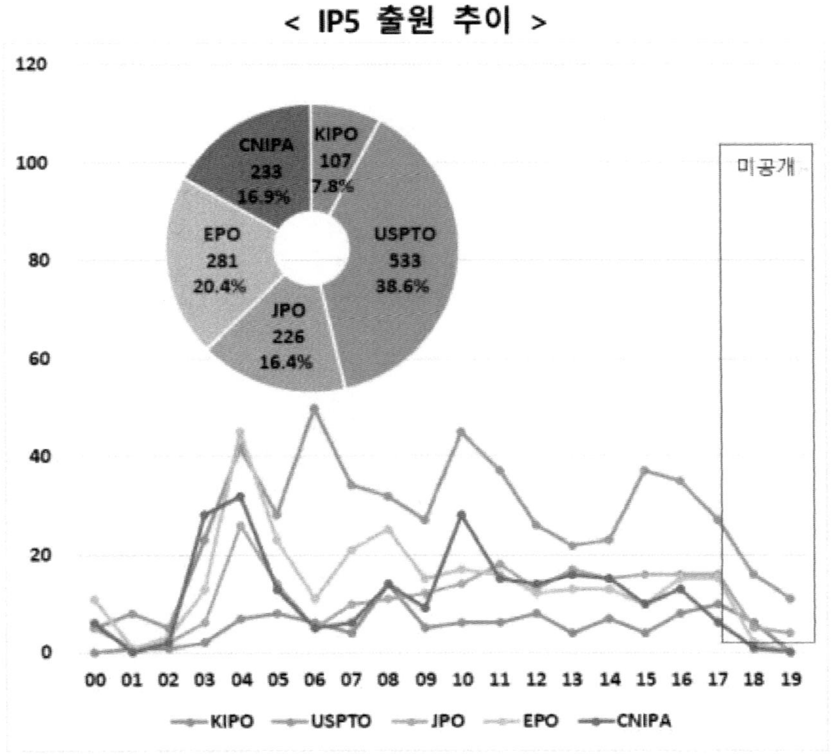

그림 168 IPS 발행국별 출원 추이

IP5 출원건수 기준으로 미국(USTPO) > 유럽(EPO) > 중국(CNIPA) > 일본(JPO) > 한국(KIPO) 순으로 나타난다.

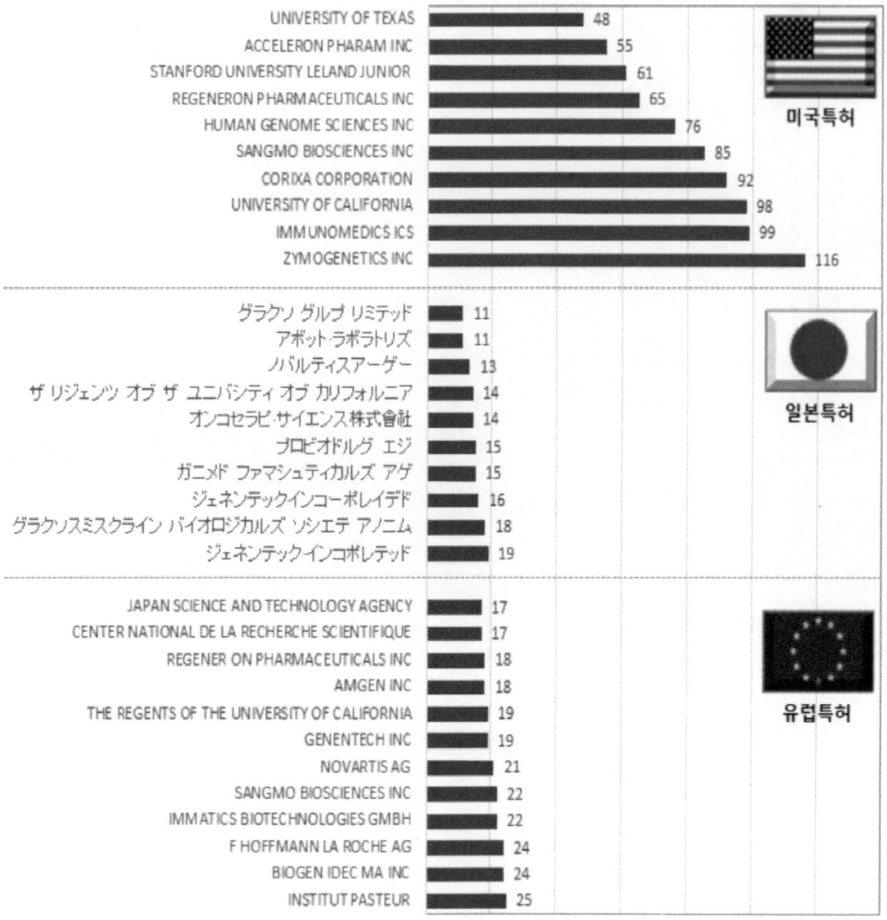

[해외특허 주요 출원인의 출원 현황]

그림 55 해외특허 주요 출원인의 출원 현황

07 결론

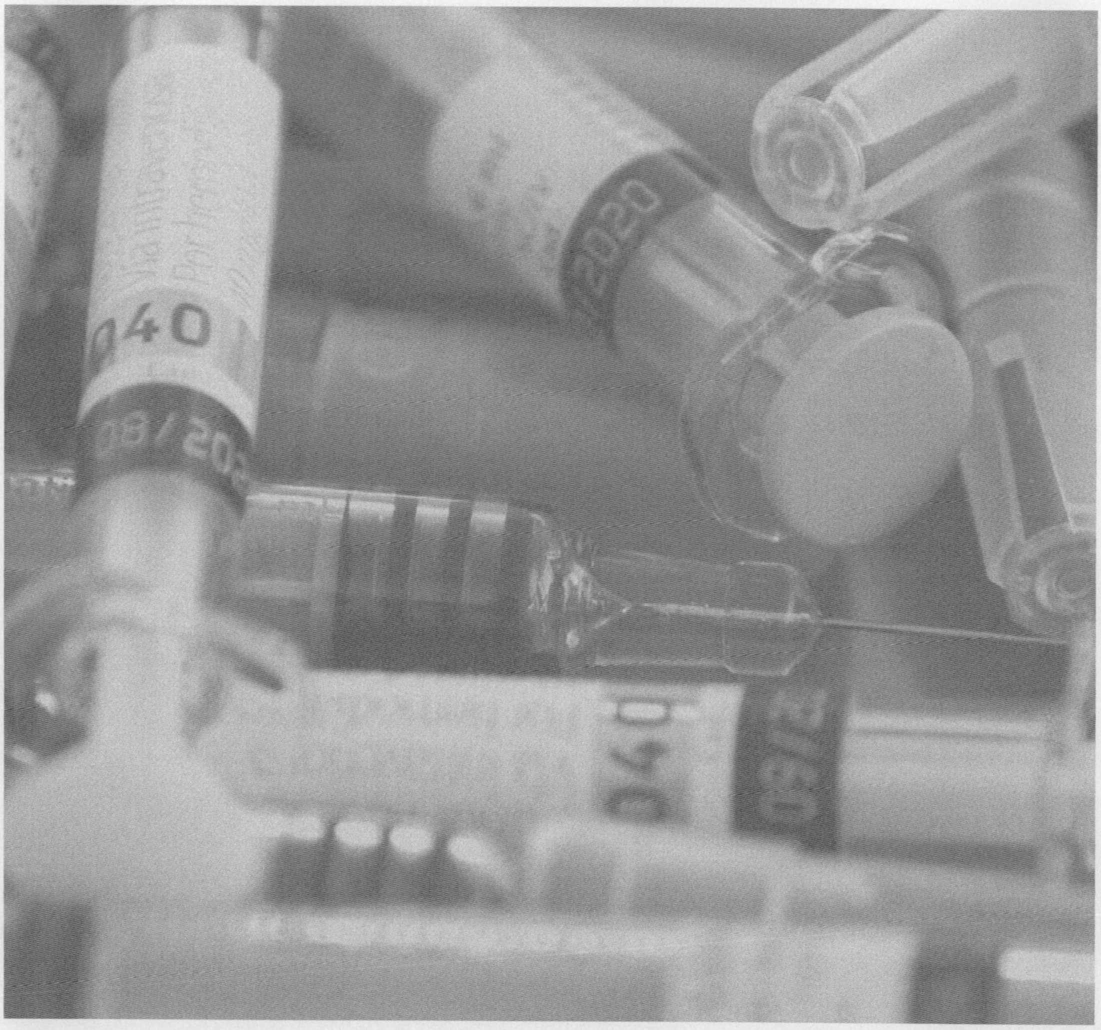

7. 결론

세계의 백신 시장은 인구 고령화와 감염성 질환의 증가, 블록버스터 백신 출현 등으로 빠르게 성장하고 있다. 질병의 전염은 국경을 초월하는 탓에 개발도상국뿐만 아니라 선진국에서도 도입률이 크게 늘고 있다. 또한 단순히 예방접종으로 인식했던 백신이 치료용 약물로서의 역할을 하고 있다.

국내 백신 업체들도 백신 시장에서 새로운 제품을 선보이며 경쟁력을 강화하고 있다. 우리나라의 생명화학분야의 기술력은 선진국과 경쟁 가능한 기술력 수준으로 평가된다. 특히 세계적인 수준의 IT, NT, BT 관련 기술을 보유하고 있어 향후 발전 가능성이 높다.

최근 세계의 백신시장은 선진국 위주의 프리미엄 백신시장과 신흥국가들을 겨냥한 저가형 시장으로 이원화되고 있다. 프리미엄 백신 시장은 기술 장벽이 높아 글로벌 제약사가 독점하는 형태지만 시장규모가 매년 확대되기 때문에 국내 업체가 개발에 성공한다면 큰 부가가치를 창출할 수 있다. 이에 따라 국내 업체들도 프리미엄 백신 개발에 앞장서고 있는 추세이다. 신흥국가들은 정부의 지원을 받으며 공적조달시장을 중심으로 성장한다. 따라서 가격이 가장 큰 경쟁요소로 작용하는 가운데 국내 제품이 강세를 보이고 있다.

국내 업체들은 세계 백신시장의 5~10%를 차지하는 구호시장에도 영향력을 끼치고 있다. 입찰에 참여하기 위해서는 WHO의 PQ가 필요하다. 현재 PQ를 받은 국내 제품은 20개 이상으로 국내 백신 제품의 위상이 높아지고 있다. 최근에는 SK바이오사이언스가 독감백신으로 세계 첫 WHO PQ 인증을 획득했고, GC녹십자는 6년째 PAHO의 독감백신 입찰에서 점유율 1위를 차지하고 있다.

또한 정부 주도하에 정책 지원·투자가 활발하게 이루어지고 있고, 국내 기업의 R&D 규모 역시 커지고 있어 우리나라의 백신 산업 전망이 밝을 것으로 전망된다. 그러나 오랜 기간 연구개발에 막대한 비용을 투자해야 하는 것과 국가별 인증을 얻기 위해 지속적으로 임상실험을 진행하는 것, 신흥시장의 높은 경쟁은 우리가 극복해야 할 점으로 보인다. 따라서 국내 제약사는 시장의 특성에 맞게 전략적으로 접근할 필요가 있다.

08

참고자료

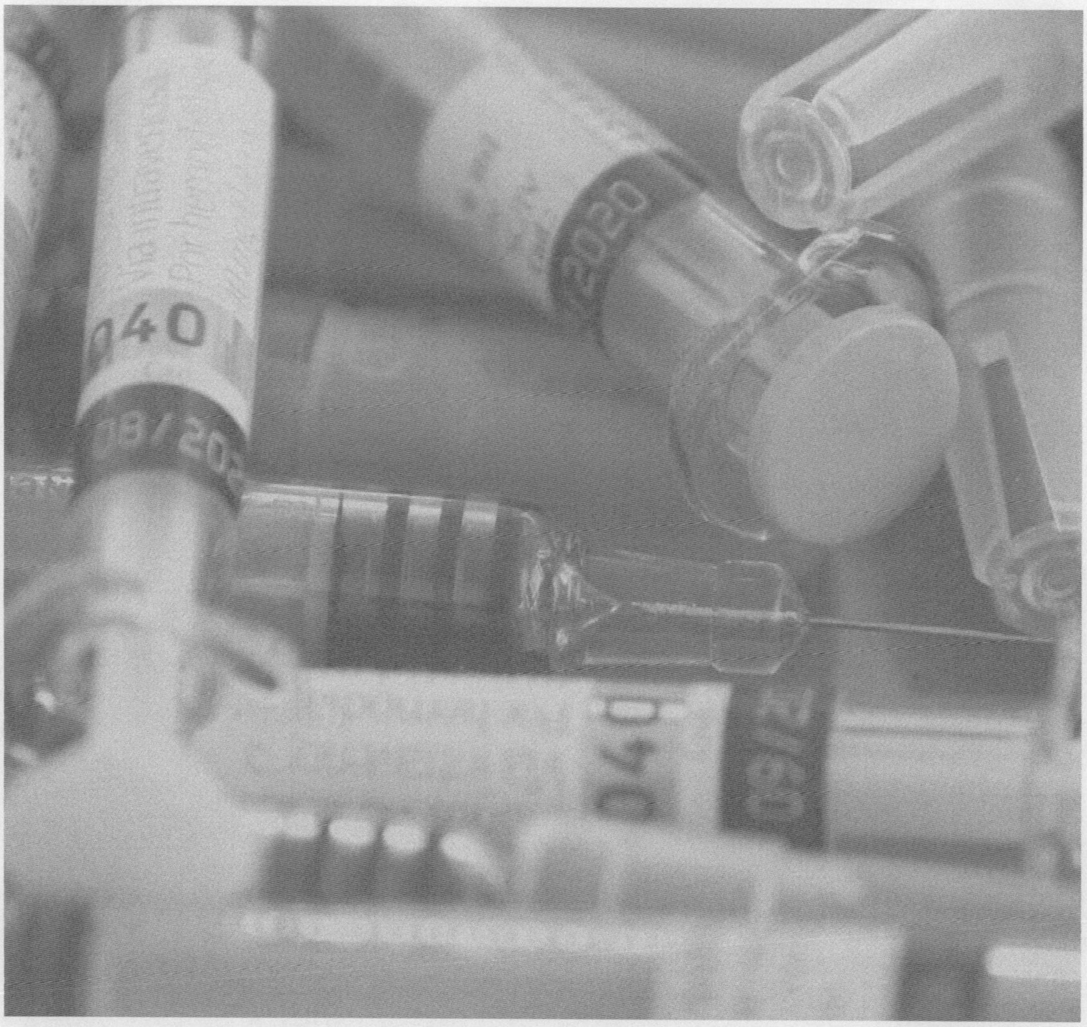

8. 참고자료

1) 약학정보원-약학용어사전 참조
2) 이투스교육 공식블로그, 인체, 백신을 기억하다, 최영
3) 백신 안전사용을 위한 핸드북, 식품의약품안전청
4) 백신제제의 특징, 용법 및 주의사항, 병원약사회지(2012)-제 29권 제 4호
5) 서울대학교병원 의학정보
6) 국가건강정보포털 의학정보, 국가건강정보포털
7) 병원약사회지(2012), 제 29 권 제 4 호, 백신제제의 특징, 용법 및 주의사항
8) 새로운 치료제: DNA 치료백신(VGX-6150), 부산대학교 의과대학 내과학교실
9) 새로운 치료제: DNA 치료백신(VGX-6150), 부산대학교 의과대학 내과학교실
10) https://blog.naver.com/etoos-edu/221080211056 최영 선생님의 '인체, 백신을 기억하다'
11) 백신 면역증강제(vaccine adjuvant)의 개발 동향, BRIC View 동향리포트, 김의호
12) 백신기반기술로서의 면역증강제, 이나경
13) 예방접종도우미, 예방 접종 후 이상반응
14) 서귀포시 서부보건소, 보건사업안내, <예방접종> 어린이 국가예방접종
15) 데일리메디팜, 사노피파스퇴르㈜-한국백신-녹십자 등 7개사, 국가예방접종 지원사업 독과점 , 한정렬, 2019.05.30.
16) 과학기술정보통신부
17) 생명공학정책연구센터
18) 메디팜스투데이, 글로벌 백신 시장 판도변화 온다, 고재구, 2018.06.18.
19) 헬스포커스 뉴스, 2020년 백신 매출 Top5 제약사는?, 조성우
20) 헬스조선, 필수예방접종백신 지고, 프리미엄백신 뜬다
21) BioINwatch, 2022년 글로벌 항암 백신 시장 전망, 생명공학정책연구센터
22) 아이진, 글로벌 자궁경부암 백신 시장규모
23) PahrmNews, 항암 백신, 포스트 면역항암제로 '주목', 이헌구
24) e-의료정보, NIP 접종 연령 확대에 4가 백신 시장 '휘청', 김태완
25) 중국이슈트래커, 불량 백신 사태, 위기의 제약/바이오, 이베스트투자증권 리서치센터
26) kotra 해외시장뉴스, '가짜 백신사태'로 본 중국 백신시장 현황 및 수혜산업, 김규진 중국 항저우무역관
27) 중국 백신시장 분석과 비급여 백신 시장의 급성장에 따른 기회, 제약산업정보포털, 한국보건산업진흥원, 펑타오
28) 의학신문, 中 올 독감 백신 공급 큰폭 감소, 김자연, 2018.12.07
29) 국내외 백신수급현황 관련 정보 수집, 한국바이오의약품협회, 질병관리본부, 2016
30) 바이오 스펙테이터, "100만명 바이오 빅데이터 구축·연 4조 R&D 투자", 장종원, 2019.05.22

31) 아이큐비아
32) 중앙일보, 지속적인 R&D 투자로 독감백신 국내 1위 넘어 30여 개국 수출, 박정렬, 2018.9.30
33) 팜뉴스, 내수시장 한계、신제품 개발 경험 없어, 전미숙, 2015.12.01
34) 머니투데이, 신종플루 이후 10여년…백신주권 확보는 '제자리 걸음', 민승기, 2018.12.20
35) 보건복지부 보도자료, 백신, 국내 자급을 넘어 글로벌 미래성장산업으로!, 09.05
36) 히트뉴스, 정부, '백신 자급화' 사활...부처별 R&D 지원 통합 조정, 강승지, 2019.02.15
37) 중소기업 기술로드맵, 중소기업청/중소기업기술정보진흥원
38) 국내외 백신수급현황 관련 정보 수집, 한국바이오의약품협회, 질병관리본부, 2016
39) 히트뉴스, 글로벌 빅파마도 군침...mRNA 백신 개발 열기 높지만, 홍숙, 2019.05.31
40) MedicalTimes, 외자사 주목 차세대 백신 "mRNA 기술 대세 입증", 원종혁, 2018.08.17
41) 증권뉴스, 진원생명과학 "자회사, 개인맞춤형 신생항원 암백신 생산시설 구축 착수", 이후섭, 2019.07.23
42) 노컷뉴스, 에볼라, 40년째 백신 없는 이유 알고보니, 김구연, 2014.08.04
43) 수만명 목숨 구한 WHO의 '도박'…머크의 미승인 백신 긴급투여 결정, news1뉴스, 성재준, 2019.07.22
44) 헬스코리아뉴스, 내성 가진 페스트 등장 … 백신개발은 언제?, 박정식, 2019.08.01
45) 의협신문, 美 시장 잠식 대상포진백신 '싱그릭스', 중국서도 허가, 최원석, 2019.05.24
46) Dailypharm, 바이오 붐에 'CRO·CDMO' 뜬다…연 13% 고성장 전망, 김진구, 2019.02.26
47) MK, "복잡한 임상시험 맡기세요"…CRO 신산업 뜬다, 김병호, 2019.05.20.
48) M&A로 본 제약·바이오산업, 삼성KPMF 경제연구원
49) 헬스코리아뉴스, 걸음마 뗀 국내 제약 R&D … 아직 갈 길 멀다, 이순호, 2018.03.01
50) 디지털타임스, 다국적제약사 R&D 투자 확대... 전년비 인력 10.4%·비용5.9%↑
51) ChosunBizm, 제약사 R&D도 '부익부 빈익빈'...올 상반기 매출 10% 이상 투자 4곳,
52) 바이오스펙테이터, 제약사 3곳 중 2곳 연구비↑..부광, R&D비율 '22%'
53) 인텔리콘 법률사무소, 라이센싱6부-바이오·제약 분야의 라이센싱
54) 의사신문, GC녹십자, 혈액·백신·희귀의약품 역량 집중, 김동희
55) 의협신문, GC녹십자, 상반기 100억 적자…투자실패·과징금 영향, 최원석
56) 연합뉴스, SK바이오사이언스, 로타 백신 임상 3상 이르면 내달 개시, 김잔디
57) MedicalTimes, SK바이오사이언스, 메디컬코리아대상 식약처장상 수상, 최선
58) 매일경제, LG화학, 美 보스턴에 바이오 분야 `글로벌 이노베이션 센터` 오픈, 김병호
59) 매일경제, 빌게이츠재단, LG화학 영유아용 6가 혼합백신 개발에 370억원 지원키로, 한경우
60) 뉴데일리경제, 보령바이오파마-캔서롭, 산전 기형아 선별검사 '더맘스캐닝 플러스' 론칭, 김새미
61) 청년의사, 동아ST·보령바이오파마도 4가 독감백신 시장 가세, 이혜선

62) 경향신문, 수익에 눈먼 '한국백신', 영·유아 안전까지 눈감았다, 박광연
63) 청년의사, 비소 논란에 이어 화재까지…한국백신 '얼룩', 소재현
64) 치료용 백신 개발동향, 보건산업기술동향 2004-봄, (주)제넥신 손종문, 2004.
65) 치료용 백신 개발동향, 보건산업기술동향 2004-봄, (주)제넥신 손종문, 2004.
66) eMD Medical NEws, 사노피 파스퇴르㈜ - 한독, 협약 체결,
67) 중소기업 기술 로드맵, 바이오, 백신, 기술로드맵

초판 1쇄 인쇄 2019년 8월 17일
초판 1쇄 발행 2019년 9월 02일
개정판 발행 2020년 11월 16일
개정2판 발행 2022년 5월 23일

저자 비피기술거래
펴낸곳 비티타임즈
발행자번호 959406
주소 전북 전주시 서신동 780-2
대표전화 063 277 3557
팩스 063 277 3558
이메일 bpj3558@naver.com
ISBN 979-11-6345-357-4(13560)
가격 66,000원

이 도서의 국립중앙도서관 출판예정도서목록(CIP)은 서지정보유통지원시스템 홈페이지(http://seoji.nl.go.kr)와국가자료공동목록시스템(http://www.nl.go.kr/kolisnet)에서 이용하실 수 있습니다.